Travessia

Eduardo Moreira

Travessia:
de banqueiro a companheiro

11ª edição

CIVILIZAÇÃO BRASILEIRA

Rio de Janeiro
2025

Copyright © Eduardo Moreira, 2022

Capa: Anderson Junqueira
Imagem de capa: Ricardo Stuckert
Diagramação: Abreu's System

Todos os esforços foram feitos para localizar os fotógrafos das imagens, as pessoas retratadas e os autores dos textos reproduzidos neste livro. A editora compromete-se a dar os devidos créditos em uma próxima edição, caso os autores as reconheçam e possam provar sua autoria. Nossa intenção é divulgar o material iconográfico e musical, de maneira a ilustrar as ideias aqui publicadas, sem qualquer intuito de violar direitos de terceiros.

CIP-BRASIL. CATALOGAÇÃO NA PUBLICAÇÃO
SINDICATO NACIONAL DOS EDITORES DE LIVROS, RJ

Moreira, Eduardo, 1976-

M837t   Travessia: de banqueiro a companheiro / Eduardo Moreira. –
11. ed. – Rio de Janeiro: Civilização Brasileira, 2025.
144 p.: il.; 21 cm.

ISBN 978-65-5802-048-6

1. Moreira, Eduardo, 1976-. 2. Investidores (Finanças) –
Biografia – Brasil. 3. Brasil – Condições sociais. 4. Igualdade –
Brasil. 5. Movimentos sociais – Brasil. I. Título.

21-73204   CDD: 920.933260981
CDU: 929:336.581(81)

Camila Donis Hartmann – Bibliotecária – CRB-7/6472

Todos os direitos reservados. É proibido reproduzir, armazenar ou transmitir partes deste livro, através de quaisquer meios, sem prévia autorização por escrito.

Texto revisado segundo o novo Acordo Ortográfico da Língua Portuguesa.

Direitos desta edição adquiridos pela
EDITORA CIVILIZAÇÃO BRASILEIRA
Um selo da
EDITORA JOSÉ OLYMPIO LTDA.
Rua Argentina, 171 – Rio de Janeiro, RJ – 20921-380 – Tel.: (21) 2585-2000.

Seja um leitor preferencial Record.
Cadastre-se no site www.record.com.br
e receba informações sobre nossos
lançamentos e nossas promoções.

Atendimento e venda direta ao leitor:
sac@record.com.br

Impresso no Brasil
2025

*Dedico este livro a todos e todas
que me receberam em suas casas e me ensinaram
sobre amor, coletividade e acolhimento.*

"Tudo passando,
Tudo passagem,
Tudo caminho..."

Marco Schultz

SUMÁRIO

Prefácio, por Leonardo Boff	11
Introdução	17

1. Como é possível aguentar tanto sofrimento e
seguir em frente? 23
2. A vingança é um prato... que não se come de jeito
algum se queremos um mundo melhor 33
3. As (in)verdades que repetimos 41
4. As aulas de economia que a realidade nos dá 53
5. O décimo círculo do inferno 67
6. Do limão à limonada 83
7. A dor e a esperança das crianças carentes 99
8. Finapop 109

Conclusão 129
Posfácio, por João Paulo Pacifico 133

PREFÁCIO

Leonardo Boff

O livro de Eduardo Moreira — *Travessia: de banqueiro a compa-nheiro* — contém uma promessa e uma profecia.

Em primeiro lugar, é uma *promessa* de que nem tudo está perdido, de que podemos mudar o mundo, fazê-lo ser melhor ou menos perverso. Basta auscultar nossa própria humanidade, aquilo que está presente, mas recolhido em nossa existência: o amor, a solidariedade e o cuidado.

Eduardo Moreira foi por vinte anos um banqueiro de suces-so, um homem do *establishment* financeiro. Por ser mente aberta e sempre ter vontade de aprender mais e mais, ele compreendeu o legado de Paulo Freire: aprendemos primeiro a pronunciar o mundo e somente em seguida a pronunciar as letras. Eduardo não procurou o mundo que já conhecia sobejamente. Colocou--se em direção ao mundo ignoto, dos condenados da terra, dos feitos invisíveis, aqueles que para o sistema de produção e de consumo equivalem a óleo gasto e queimado.

Percorreu o país, o sertão tórrido, as favelas, as comunidades quilombolas, várias terras indígenas, os assentamentos do Movi-mento dos Trabalhadores Rurais Sem Terra (MST) e outros. Não entrou pela porta da frente como especialista em finanças. Entrou pela porta dos fundos (quando havia) para ser companheiro, para ouvir, aprender e resgatar a sua humanidade perdida no meio de tantos interesses egoístas, de tantos preconceitos e real desprezo aos filhos e filhas da pobreza.

Uma coisa é conhecer os indices da pobreza pela *literatura* científica. Outra coisa é fazer uma *visita* e dar-se conta da pobreza e da miséria. Mas o extraordinário e realmente singular é inserir-se na vida dos pobres e marginalizados, participar de suas agruras, comer o que têm, mesmo se recolhido do lixo, sofrer e alegrar-se com eles. Trata-se de uma experiência de pele, de sentir o pulsar do coração do outro, de, não raro, assistir à violência brutal e sentir-se impotente, mas estar ali ao lado, sofrendo junto e confortando.

Esta é a *Travessia* real e não retórica operada por Eduardo Moreira. Ela me recorda aquilo que Jesus chama da *metanoia*, vale dizer, mudar a mente e o coração. Foi, pois, esse processo alquímico que irrompeu na vida do banqueiro Eduardo.

Há um similar a ele, Francisco de Assis. Filho do mercador mais rico da cidade de Assis, Pedro Bernardone, que frequentava os mercados de tecidos desde Veneza, o sul da França até Flandres ao norte, hoje Holanda. O filho da *jeunesse dorée* da época, Francisco, levava o bastão ornado que simbolizava o organizador das festas juvenis, cheias de canções de amor e de algazarras. De repente, depois de uma crise existencial, abandonou os amigos e a casa paterna. Foi morar com os mais desprezíveis daquele tempo, os leprosos. Confessa-se, o que antes lhe parecia abominável se tornou uma doçura. Comia da mesma escudela deles e

Prefácio | **13**

de braço com algum deles ia pelas vilas pregando que o "amor não é amado". Filho rico de um habitante da Comuna, fez sua travessia para o mundo dos semimortos. Outro, filho do Mercado, fez sua travessia e buscou companheiros entre os mais covardemente marginalizados. E aí encontrou o que se perdeu no grande mundo dos negócios: a solidariedade, a colaboração e o sentido humano das relações.

Esse passo corajoso e sem retorno é testemunhado por este pequeno e rico livro *Travessia*. Não escreve palavras. Narra experiências vividas e sofridas, fonte de reflexões de grande atualidade.

Travessia é também uma *profecia*: ele antecipa, assim creio, um mundo que vai chegar. Não porque queremos ou não queremos. Seremos forçados a isso. Chegará um momento do estado da Terra — estamos dentro da sexta extinção em massa e da nova era geológica do antropoceno — em que se apresentará a alternativa: ou mudamos, ou não teremos mais futuro.

Há quarenta anos, mesmo antes de me agregar ao pequeno grupo que, sob a coordenação do ainda chefe de Estado Mikhail Gorbachev, elaborou a Carta da Terra, assumida pela Unesco, acompanho assiduamente os estudos sobre o estado da Terra. De ano para ano os dados pioram. Quando parará o processo de degradação planetária? Para onde vamos?

Os donos das fortunas e das finanças mundiais exploraram, de forma tão devastadora, os bens e serviços da Terra que lhe sequestram a sustentabilidade. Todos os sinais entraram no vermelho. A intrusão da Covid-19 é um dos sinais de que Gaia, a Mãe Terra, a Pachamama dos andinos, encostou nos seus limites. Ela não aguenta mais. Como o sistema do capital se globalizou, ele entrou em rota de colisão com o sistema-vida e o sistema-Terra. A continuar esta lógica depredadora, azeitada por estes grupos antivida, cruéis e sem piedade em face da miséria que causam à humanidade, percorreremos um caminho sem retorno. Ao não mudarmos nossa relação para com a natureza, sendo amigáveis e cuidadores, estamos engrossando o cortejo dos que rumam na direção de sua sepultura. Mas podemos mudar esse rumo. Eduardo Moreira aponta indicações inspiradoras.

Por isso, se fizermos aquilo que o homem das finanças, Eduardo Moreira, fez com os indígenas guarani-kaiowás, quando, com seu saber e experiência, os assistiu na montagem de um projeto importantíssimo, salvaremos a vida e garantiremos o futuro para nossa civilização. Creio que o exemplo de Eduardo é uma profecia que antecipa, na pós-pandemia, um futuro bom para a humanidade.

Levada ao extremo risco de desaparecer, ela dará um salto quântico, mudará o estado de consciência e extrairá de nossa própria natureza, cujo DNA contém o amor, a colaboração e o cuidado, os meios que resgatarão um caminho promissor para a nossa curta existência nesse belo e radiante planeta.

A experiência de Eduardo Moreira e seu texto apontam para essa *promessa* e *profecia*. Se o pensador italiano Antônio Gramsci disse: "A história ensina, mas não tem alunos", em Eduardo Moreira encontrou um diligente aluno. Socializou seu saber criando uma iniciativa do maior significado cultural, o Instituto Conhecimento Liberta (ICL), que oferece, por preços irrisórios, dezenas de cursos, ministrados pelas melhores cabeças de nosso país. Imaginemos um país coberto por filiais desse instituto: será uma nação sem analfabetos e de cidadãos instruídos, livres e libertados.

Tudo isso me foi inspirado na medida em que lia *Travessia*. Por isso sou grato à criatividade e à grande generosidade de Eduardo Moreira.

INTRODUÇÃO

"Me conte, Eduardo, como foi sua epifania?" Acho que essa foi a pergunta que mais me fizeram ao longo dos últimos anos. Seja nas incontáveis entrevistas que concedi para jornais, portais de internet e canais de televisão ou em rodas íntimas de conversas com meus "novos amigos", a curiosidade sobre qual momento de minha vida teria sido responsável por essa mudança pela qual passei era uma constante.

Eu compreendo a curiosidade. Afinal de contas, como explicar uma guinada tão "radical" na vida do menino branco da Zona Sul carioca, formado em engenharia civil na faculdade mais cara da cidade, que num período de menos de três anos deixa uma carreira bem-sucedida de banqueiro de investimentos para se tornar um entusiasmado militante de movimentos sociais como o MST e feroz crítico das reformas tão defendidas pelo tal "mercado"? Ou, nas palavras dos antigos amigos dos tempos de banqueiro que não me ligam mais, "como é que esse cara virou comunista?".

Não sei dizer se virei comunista. Nem marxista, como tantos outros alardeiam. Para ser sincero, pouco conheço do pensamento de Marx além da leitura de *O manifesto comunista* e de alguns capítulos de *O capital*, o que me faz ter dificuldades de definir com precisão o que torna alguém oficialmente um "comunista" ou "marxista". Posso afirmar, porém, que a forma como vejo o mundo hoje em dia é muito diferente da forma como o via há alguns anos. Muito mesmo...

O que não necessariamente torna o que penso hoje em dia correto. Li, certa vez, em um livro escrito por um jovem autor americano, que, sempre que ele olhava alguns anos para trás em sua vida, percebia que tudo que pensava à época era errado. Ele chegou então à brilhante conclusão de que em alguns anos acharia também incorreto o que pensava naquele exato momento. No livro, o autor fala sobre como essa descoberta lhe tirou a enorme pressão de sempre se cobrar estar certo sobre as coisas, ao mesmo tempo que lhe trouxe humildade para seguir aberto a novas formas de ver a vida e buscar respostas para seus problemas.

Imagino que, muito provavelmente, daqui a alguns anos terei uma visão de mundo diferente da que tenho hoje. E o que me fará ter essa visão diferente serão as experiências que terei vivido nesse intervalo. E assim seguirei até o último de meus dias, um peregrino, buscador, curioso, atrás de respostas que nunca chegam por inteiro — justamente para que possamos sempre ter o combustível de que precisamos para seguir tocando em frente.

Aliás, aproveito para uma breve digressão. Aqui e em vários outros momentos do livro, afinal os que me conhecem sabem que não consigo chegar à conclusão de um raciocínio sem antes dar uma passeada por pontas que se abrem na história. Tenho medo de desperdiçar a chance de tocar no assunto e não a ter

Introdução | **19**

novamente adiante. Peço que me perdoem aqueles que por vezes ficarem perdidos com esses passeios. Se serve de consolo, não são raras as vezes em que também me perco. Nos percamos juntos, então.

Agora, voltando à digressão (se você não percebeu, estávamos na digressão de uma digressão), é impressionante constatar como somos criados dentro de um sistema que promete respostas para todas as questões importantes da vida. É como se a vida tivesse um "gabarito", e fôssemos treinados a todo instante para decorar as respostas. É assim na escola, nas empresas, nos templos, nas rodas de amigos... Temos duas opções: ou dar as respostas consideradas "corretas" e passar nas provas da escola, ganhar uma promoção no emprego e um passaporte para entrar no céu, ou ousar responder a essas perguntas de outra maneira e encarar uma artilharia incrivelmente pesada apontada para nós, na melhor das hipóteses sendo chamado de "burros" — e, na pior, tendo a vida destruída pelo sistema. Curiosamente, as respostas do "gabarito" costumam beneficiar sempre o mesmo grupo de pessoas e instituições. Responder a elas de outra maneira é, portanto, afrontar o sistema.

O fato é que tudo aquilo que achamos que sabemos não passa de uma tentativa (bem ou mal-intencionada) de explicar o que é real. Teses, ideias e teorias buscam prever o funcionamento do mundo para nos permitir controlá-lo. Por mais inquestionáveis que pareçam, porém, essas verdades são apenas criações de nossa mente. Histórias que inventamos para explicar aquilo que "é", mas que terão sempre uma distância do real. Enquanto funcionam e parecem estar próximas do que "é", sendo capazes de prever fenômenos e eventos, ganham o status de "verdade". Entram para o "gabarito". Até que um dia a realidade muda e se distancia daquilo que se poderia prever, ou surge uma nova ideia capaz de prever com mais precisão, e aí as teorias perdem seu status muitas vezes até então de dogmas. Acontece com modelos econômicos, mas pode acontecer também com modelos matemáticos. Nem mesmo as tais "leis", como as de Newton, estão livres de perder seu lugar no gabarito. O tempo sempre fará do real, soberano, e do ser humano, equivocado em suas previsões. Se não fosse assim, a vida não seria escola, e hoje é assim que vejo nossa passagem por este plano. Sabe-se lá daqui a alguns anos como a verei...

Tudo isso para dizer que nestes últimos anos me tornei uma dessas pessoas que ousa responder à "prova da vida" com respostas diferentes das que fazem parte do tal gabarito. Pelo menos do que me foi apresentado enquanto trabalhei no mercado financeiro, durante mais de vinte anos. Gabarito que, aliás, decorei do começo ao fim. Sou capaz de escrever uma dezena de livros que deixariam antigos sócios e professores cheios de orgulho. Livros que "provariam" como as tais respostas do gabarito são capazes de fazer do mundo um lugar mais justo e melhor, e que só não fizeram ainda porque as pessoas não estão indo bem na prova. Elas devem tirar notas mais altas! Dar mais liberdade ao mercado, prender e matar mais criminosos, criar ambientes mais competitivos etc.

O que me fez então transgredir (ou regredir, como dirão os que acreditam na verdade suprema do gabarito)? Por que renunciei a toda minha capacidade de responder "corretamente" a estas questões, adquirida a duras penas após décadas de estudos em centenas de livros, e justo no momento em que finalmente ganhei o status de "banqueiro rico", uma das estrelinhas mais importantes na caderneta do sistema vigente? A resposta é simples: as experiências pelas quais passei nestes últimos anos.

Não existe, como eu mesmo já tentei me forçar a acreditar, um evento isolado que tenha mudado de maneira definitiva a minha maneira de ver o mundo. Não existe o instante "Buda" de iluminação do Eduardo (até porque vivo ainda imerso em um mundo cheio de trevas e dúvidas). Existiram, sim, vários pequenos despertares. Vários momentos em que o que estava diante de meus olhos desafiava tudo aquilo que eu tinha aprendido até então. Socos no estômago que me derrubaram e fizeram minha alma gritar, mas que ao final me transformaram numa pessoa diferente.

Quase todos esses momentos aconteceram durante minhas viagens pelas regiões mais pobres do país, onde me dispus a morar durante curtos períodos: em assentamentos e acampamentos do Movimento dos Trabalhadores Sem Terra (MST), quilombos, aldeias indígenas ou comunidades do sertão nordestino. Algumas dessas histórias, aliás, fazem parte da trilogia que escrevi desde que comecei a ver o mundo com outros olhos, a série "Desvendando o capitalismo", composta dos livros *O que os donos do poder não querem que você saiba, Desigualdade & caminhos para uma sociedade mais justa* e *Economia do desejo: a farsa da tese neoliberal*. Nesses livros, porém, tais experiências aparecem apenas como pequenas citações para ilustrar os conceitos econômicos, sociais ou políticos que as obras buscam investigar.

Mas essas histórias são muito mais do que somente "pequenos trechos" de minha vida. Seriam elas, juntas, a tal epifania que tanto me pedem para descrever? Acho que não. Uma epifania sugere o encontro da peça do quebra-cabeça que finalmente nos permite ver o Todo, a "inspiração divina" definitiva. Acho que jamais conseguirei ver essa imagem final e definitiva com clareza. Não imagino sequer que ela possa ser vista. Mas foram esses momentos, descritos nessas histórias, que me fizeram mudar o rumo de minha caminhada. São eles os responsáveis pela travessia que escolhi fazer, do lado de lá para o lado de cá. Na realidade, mais do que responsáveis, eles são a própria travessia. Este é um livro sobre essas histórias. Um livro sobre esta minha travessia. Uma travessia incompleta, em andamento. A travessia que me trouxe sentido à vida.

1.
COMO É POSSÍVEL AGUENTAR TANTO SOFRIMENTO E SEGUIR EM FRENTE?

CÉU E INFERNO NO SERTÃO NORDESTINO

Antes de partir para minha primeira viagem rumo às regiões mais pobres do país, decidi que não iria "visitar" esses locais. Meu objetivo era, sempre que possível, morar pequenas temporadas em cada uma das comunidades por onde passasse. Mesmo que fossem alguns poucos dias, eu fazia questão de comer, dormir, trabalhar e sofrer com estes irmãos e irmãs. Tinha medo de que visitá-los pudesse ser, de certa forma, ofensivo. Como se estivesse fazendo um "turismo da tragédia alheia". E isso era a última coisa que eu pretendia com aquelas viagens.

A palavra *simpatia* vem do grego, e quer dizer *sofrer* (*pathos*) *ao lado* (*syn*): estar junto daqueles que sofrem, lutar por eles, defender seus objetivos, compreender sua realidade. Não tenho dúvidas de que, se fôssemos mais simpáticos às situações pelas quais estas pessoas passam, viveríamos em um mundo muito melhor.

Mas existe uma outra palavra chamada *empatia*. O prefixo *em*, em grego, significa *dentro*. Ser empático é mais do que estar junto ao sofrimento de alguém. Significa sofrer junto. Vestir os sapatos daqueles que passam por alguma situação de dor. E era isso que eu pretendia com minhas viagens. Poder experimentar um pouco daquele sofrimento, compartilhá-lo. Daí vem a palavra *compaixão*, compartilhar o *pathos*, ou seja, o sofrimento.

Foi isso que fiz. E são essas as histórias que ilustram este livro. Fiz questão, propositalmente, de não identificar com precisão o nome dos lugares onde as histórias se passam, com raras exceções. Troquei também os nomes da maioria das pessoas, para não as expor, dado que muitas das situações aqui descritas podem ser constrangedoras e até humilhantes para seus personagens.

São histórias de muita dor, fome, frio e medo. Quase nenhuma tem final feliz. Aliás, o final de algumas é a morte. Mães que perderam os filhos, filhos que perderam os pais, pessoas que tiveram amigos e amigas torturados e nada puderam fazer para ajudá-los.

As pessoas costumam me perguntar como eu me preparo para estas viagens. Têm curiosidade de saber o que faço antes de partir, para aguentar o que irei passar. Não existe tal preparação. Para não dizer que não faço nada, costumo regrar minha alimentação, dormir mais cedo e ler algo que me inspire a servir. Chegar com saúde e o sono em dia é fundamental para dias em que normalmente muito se exercita e pouco se dorme. E, às vezes, pouco se come também.

O problema maior, porém, não são os dias que antecedem as viagens, mas aqueles que se seguem a elas. Estes são absolutamente destruidores. Isto porque, depois de ser recebido por pessoas que pouco têm para repartir, mas sempre repartem o que têm, depois de passar pelo que elas passam e de ouvir suas histórias, você as deixa naquela situação e volta para o conforto do lar. Às vezes tenho a sensação de que sou um traidor. De que não posso (ou não mereço) dormir numa cama confortável, num quarto climatizado, ou comer um prato de comida cheio enquanto aqueles irmãos e irmãs que deixei para trás seguem vivendo da forma como vivem. Só há uma maneira de vencer esse sentimento de traição: transformando a vida numa luta constante para mudar essa realidade.

São noites e noites seguidas que passo sem dormir. São dias sem apetite e cheios de tristeza. Mas é exatamente aí que sinto que de alguma forma passo a compartilhar um pouco daquele *pathos* dos irmãos e irmãs. É neste momento que minha cabeça ferve, buscando ideias e soluções para mudar esta realidade. Mente fértil e coração apertado.

Outro pensamento muito forte que se tem quando se entra em contato com a realidade das pessoas que vivem nestas condições é o de se perguntar como é que elas conseguem seguir caminhando. Em todos os sentidos. Fisicamente, psicologicamente, fisiologicamente e financeiramente. Porque uma coisa é passar um ou alguns dias comendo restos de comida, como aconteceu comigo em algumas aldeias indígenas. Trabalhar por um dia inteiro plantando ou colhendo no campo debaixo de sol forte ou frio intenso. Dormir uma ou duas horas somente para se proteger de milícias assassinas que ameaçam algumas comunidades. E outra coisa é passar anos assim, dia após dia, sem descanso. Não estou exagerando quando afirmo que é algo absolutamente ini-maginável e inconcebível para quem vive no conforto da cidade grande.

E foi num pequeno assentamento no sertão do Ceará que ouvi uma das histórias mais comoventes sobre esta resiliência, tão presente e necessária para que estas pessoas consigam seguir em frente, contra tudo e contra todos.

Era um assentamento de poucas casas numa das regiões mais secas do país. Não era um dos mais pobres em que já estive, mas mesmo assim eram casebres bem humildes, com poucos móveis e um ou dois cômodos no máximo. Para se chegar até esta co-munidade era preciso vencer um trecho de mais de quatro ho-ras por uma estrada de terra totalmente acidentada, depois de quatro horas de asfalto a partir da capital do estado. Lembro-me bem de que durante o trecho de terra batida vi pouquíssimas casas no meio de uma caatinga que se estendia até onde a vista podia alcançar. Fiquei dentro do carro imaginando como pode-ria alguém viver num lugar tão longe e isolado em condições tão hostis como aquelas do sertão nordestino.

Poucas casas na comunidade eram de alvenaria. A maio-ria ainda era de taipa, ou pau a pique, como também se diz. Numa dessas casas morava um dos habitantes mais antigos da comunidade, um senhor que aparentava ter mais de 100 anos, e que no entanto tinha "somente" 73. Esta é uma caracterís-tica comum de quem vive no sertão nordestino. O passar do tempo pode deixar muitas marcas. Quem vive da roça costuma começar a trabalhar carpindo, cavando, plantando e colhendo ainda muito jovem, aos 6, 7 anos de idade. Um trabalho pesado, debaixo de muito sol, e sem ter muito o que comer. Diferentemente do que acontece na cidade, a plantação não dá descanso aos finais de semana. Há trabalho para fazer todos os dias. Não foram poucas as pessoas que encontrei que aparentavam idade para ser meus pais e na verdade eram mais jovens do que eu. Demorei a me acostumar.

Coincidentemente, durante esta viagem estavam acontecendo discussões no Congresso Nacional sobre a reforma da previdência. Um dos pontos defendidos pelo ministro da Fazenda, Paulo Guedes, e sua equipe de jovens brancos bem-sucedidos do mercado financeiro era aumentar a idade mínima de aposentadoria para as trabalhadoras rurais de 55 para 60 anos. Percebi, estando naquelas comunidades, que se tratava de uma proposta de quem não conhecia em absoluto a realidade desta parcela do povo brasileiro, como eu mesmo não conhecia. Se a situação do homem do campo é difícil, imagine a da mulher que começa a trabalhar, normalmente, antes dos 10 anos de idade e daí em diante dificilmente tira férias. Ainda adolescente, começa a ajudar com as tarefas da casa, não remuneradas, como cozinhar ou cuidar dos irmãos. Aos 55 anos, pode parecer ter mais de 80, dependendo de como o tempo lhe maltratou. Em uma das casas que visitei, gravei um vídeo com duas senhoras falando sobre essa realidade, a fim de sensibilizar deputados e senadores que discutiam a reforma. As duas pareciam ter passado havia muito tempo dos 70 anos. Somente uma delas já tinha chegado aos 55. O vídeo viralizou. Esse ponto da proposta caiu. Provavelmente, não por causa de meu vídeo. Mas por compreensão dos legisladores do tamanho da maldade que estava sendo proposta.

28 | Travessia

Voltando ao senhor da casa de taipa. Fui visitá-lo porque, como era um dos moradores mais antigos da comunidade, poderia me contar um pouco de sua história. Sobre como era a situação dos que lá moravam algumas décadas atrás e como era agora. Fui recebido por alguns cachorros na porta, amistosos, mas desconfiados. Eu era um rosto estranho, algo que não deve ser muito comum por ali. Nem para os cachorros, nem para as pessoas. Eles latiram por alguns instantes até seu João (como será chamado aqui) intervir e mandá-los parar. Imediatamente, os animais saíram correndo, um para cada lado, enquanto a porta da casa se abria e um senhor careca e de rosto enrugado aparecia. Tinha um sorriso largo e os olhos marejados, embaçados. Me convidou para entrar.

Na casa havia poucos móveis. Vários objetos, porém, estavam espalhados pelos cantos e empilhados junto às paredes. Lembranças de toda uma vida. Seu João me ofereceu um café e nos sentamos para conversar.

Fiquei surpreso quando ele me falou da felicidade que tinha de poder viver naquelas condições. Disse-me que eu não imaginava como sua vida tinha sido difícil no passado. "Como assim?!", pensei. Ele falava com a alegria de quem tinha conquistado a vida com que sempre sonhara. Um homem totalmente realizado, numa casa de taipa de poucos móveis e cômodos. Eu não estaria exagerando se dissesse que em décadas trabalhando no mercado financeiro, lidando com alguns dos homens mais ricos do país, conheci poucas pessoas que demonstrassem aquela paz de espírito com a vida que tinham alcançado.

A conversa foi se desenrolando, o café nos aproximando, até que me senti à vontade para lhe perguntar:

"Me conte, seu João. Quando o senhor diz que sua vida era difícil no passado, o que quer dizer exatamente? Que tipos de situações o senhor viveu?"

Ele então fez uma pausa e me dirigiu o olhar. Dava para perceber que estava com a cabeça longe. Tinha o semblante de quem visitava mentalmente um passado distante. Ele abriu então um discreto sorriso, respirou fundo e começou:

"Eduardo... É Eduardo o seu nome, não é mesmo?"

"Sim", respondi.

Ele tomou um gole de café.

"Quando eu era jovem, as coisas eram muito diferentes de como são hoje por aqui. Você não tem ideia de como era a nossa vida. Trabalhávamos muito. Quando penso nisso hoje, não consigo entender como aguentávamos. Mas tinha de ser assim porque éramos meeiros. Você sabe o que é um meeiro, Eduardo?"

"Não sei, seu João. O que é?", perguntei.

"É quando não somos donos da terra e o fazendeiro nos deixa trabalhar nela em troca de uma parte da produção..."

"Ah, entendi", disse, interrompendo seu João. "Meeiro vem de meio, certo? Quem produz fica com a metade, né?"

"Quem dera fosse assim, Eduardo. De meio é só o nome mesmo. A gente ficava com no máximo 20% do que colhia. Só que quem tinha que pagar por tudo para poder plantar e colher éramos nós também. As sementes, as ferramentas, tudo."

"Nossa, então não sobrava quase nada, não é?", indaguei.

"Calma, que ainda piora bastante, Eduardo. Os 20% da produção que ficavam para nós, tínhamos de vender para o fazendeiro, pelo preço que ele dissesse que era o certo. E ele não pagava a gente em dinheiro, pagava em vale, que só podia ser usado no mercadinho da fazenda. Só que o mercadinho também era dele, e o preço das mercadorias era ele que definia."

"Mas calma aí, seu João", interrompi, indignado. "Isso tem nome, se chama trabalho escravo."

"Pois é. Mas qual outra opção que a gente tinha? Tinha que colocar comida no prato para poder viver, e esse era o único jeito."

"O senhor nunca pensou em denunciar o que eles faziam, seu João?", perguntei, cheio de raiva dos fazendeiros.

"Denunciar para quem, Eduardo? Os policiais da cidade faziam serviço para o fazendeiro. O delegado e o juiz frequentavam a casa dele. Não tinha outra terra para ir que não fosse dele também, ele era dono de tudo por aqui. A gente não tinha escolha. Era isso ou morrer de fome."

Nesse momento ele parou e respirou fundo. A lembrança se tornou viva, eu podia notar em sua expressão. Era como se ele estivesse sentindo de volta toda aquela dor, aquela indignação, aquela raiva. Seus olhos, já marejados e embaçados pelo tempo, ficaram então inundados. Só que agora com outro tipo de lágrimas.

"Eduardo, deixa eu te contar uma coisa, meu filho", disse, com a voz embargada. "Nesses dias sobre os quais estou te contando, a gente sofria tanto, mas tanto, que às vezes eu me perguntava se valia a pena continuar vivendo. Era difícil arranjar um motivo para levantar da cama e começar tudo de novo. Só tinha uma coisa que me fazia seguir adiante. Só uma."

Ele me olhou.

"Que coisa, seu João?", perguntei, destruído por seu depoimento.

"A única coisa que me fazia levantar da cama e aguentar todo aquele sofrimento era acreditar que depois que a gente morresse eles iriam para o inferno e a gente para o céu. Só isso."

Na terra, todos os motivos para seguir em frente já haviam se esgotado. Mesmo assim, seu João seguiu marchando. E conseguiu vencer os piores dias de sua vida.

2.
A VINGANÇA É UM PRATO... QUE NÃO SE COME DE JEITO ALGUM SE QUEREMOS UM MUNDO MELHOR

ÁGUA NÃO SE NEGA A NINGUÉM...

O economista político e filósofo social Karl Polanyi nos ensina em sua mais famosa obra, *A grande transformação*, que algumas características eram comuns à forma como as sociedades primitivas se organizavam. Duas destas características, segundo o autor, eram a redistribuição de riquezas e a reciprocidade. A lógica é simples. Em sociedades caçadoras e coletoras, se cada um vivesse somente daquilo que conseguisse caçar ou colher, provavelmente não conseguiria sobreviver a longas sequências de reveses. Quem gosta de pescar sabe do que o autor está falando: quando a sorte não está do seu lado, podem ser dias e dias sem um peixe sequer. No entanto, se quem tivesse experimentado a sorte na caçada ou na busca por alimentos dividisse parte de seu resultado com o resto do grupo, bastaria que um ou poucos tivessem sucesso para que todos pudessem ter o necessário para seguir vivos e tentando. A redistribuição das riquezas geradas era, portanto, fundamental para o fortalecimento do grupo.

Faltava uma condição, porém, para que a equação ficasse completa. Se em determinado dia um indivíduo do grupo tivesse renunciado a parte do que conseguiu para ajudar aqueles que nada conseguiram, no dia em que a sorte lhe faltasse precisaria contar com que os outros fizessem o mesmo por ele. E aí entrava a segunda característica destas comunidades, a reciprocidade.

Em quase todas as comunidades empobrecidas em que estive nas minhas andanças pelo Brasil, pude perceber a presença destas duas características de que fala Polanyi. Foi nelas também que aprendi pela primeira vez o real significado de solidariedade e coletividade. Talvez, diriam alguns, estas comunidades sejam assim por conta da necessidade, afinal são lugares onde a escassez é tão grande que a importância do grupo para a sobrevivência do indivíduo se torna fundamental. Ou talvez seja simplesmente pelo distanciamento das doenças da sociedade de consumo na qual vivemos, que atiça nosso ego e estimula a competição entre todos a cada segundo.

Posso afirmar, sem sombra de dúvida, que existe muito mais humanidade num acampamento de trabalhadores sem-terra do que num leilão beneficente promovido por um banqueiro da Faria Lima. A cidade de concreto nos deixa menos humanos. A forma como lidamos com o dinheiro nos deixa menos humanos. O estímulo para viver em eterna competição e buscar a vitória para ser reconhecido como indivíduo nos deixa menos humanos. Por fim, a distância da terra nos deixa menos humanos. Nunca é demais lembrar que a palavra *humano* vem de *humus*, cujo significado é *terra*.

Não me lembro de uma casa sequer em que eu tenha entrado em todas estas viagens em que não tenham me oferecido algo. Um café, um tereré (chá típico de origem indígena do Centro--Oeste) ou somente um copo de água. Mesmo em casas onde a água era pouca, não era limpa, e o copo disponível era somente um para todos, certamente tirado de dentro de alguma lata de lixo. Nestas mesmas casas, algumas com lonas ou sacos de plástico no lugar das paredes, sempre havia um lugar para eu pousar durante a noite. Eu ficava pensando se a situação fosse inversa, como eu agiria se fossem eles a bater na minha porta. Será que sem conhecer seu passado, quem eram, ou suas intenções, eu os convidaria para entrar, tomar um café e ofereceria um dos quartos para poderem dormir? A resposta é clara, e eu me envergonhava só de pensar nela.

Foi numa conversa com um morador antigo de uma das comunidades do interior do Ceará que visitei que vi até que ponto essa humanidade, e a falta dela, podiam chegar.

Quando falamos que esta é uma região que sofre com a seca, talvez as pessoas não consigam ter a dimensão do que isto significa. Não se trata de lugares onde chove pouco durante longos períodos. Trata-se de lugares onde não chove nada durante muitos anos. E, quando chove, é tão pouco que a água não se acumula em lugar algum, sendo suficiente apenas para tornar a vegetação um pouco mais verde, gerando o que é conhecido como a "seca verde". Nada que alivie o sofrimento das pessoas que precisam encontrar água em algum lugar para viver.

Nestes lugares, o racionamento é mais do que uma necessidade, é uma regra. A ponto de algumas casas acumularem nos vasos sanitários as fezes e urina de todos os moradores durante todo o dia para dar somente uma descarga à noite. Melhor conviver com um cheiro ruim, aprenderam, do que ficar sem água.

A situação hoje na maioria dessas comunidades, graças a programas federais e estaduais que levaram cisternas capazes de armazenar a pouca água que cai nos telhados das casas, é menos dramática do que já foi um dia. Outras soluções, desenvolvidas ao longo de gerações, também ajudaram estas pessoas a vencer a falta de água. Conheci diversos sistemas que reaproveitam quase completamente a pouca água que estas pessoas têm a sua disposição. A água que é utilizada para lavar a criação de porcos, por exemplo, é canalizada até um sistema de filtragem natural e utilizada para regar a horta. A horta produz os alimentos que são consumidos na casa. O esgoto doméstico passa por um outro sistema de filtragem e é utilizado para lavar a criação de porcos. E o ciclo se fecha.

Mas nem sempre foi assim naquela comunidade onde eu estava passando uns dias. Quando seus habitantes chegaram àquele pedaço de terra, não havia absolutamente nada. O terreno, fruto da reforma agrária, era bastante acidentado, maltratado pelo clima seco da região e cercado por várias fazendas dos "coronéis" do município.

A primeira coisa que os camponeses precisaram fazer quando chegaram foi construir suas casas, para ter onde dormir. E, para construir as casas, precisavam de água, para poder concretar as fundações, os pilares, as vigas e as lajes. Precisavam de água também para beber e para cozinhar seus alimentos. Só que em seu terreno não havia represas ou rios. O rio mais próximo ficava a alguns quilômetros de distância, margeando uma das fazendas de um coronel. Eles começaram então a fazer longas caminhadas até o rio, para trazer água em latas e baldes. Até que o dono da fazenda soube do que estavam fazendo e ameaçou matá-los se continuassem a roubar a água do seu rio.

"Roubar a água?!", perguntei, interrompendo o senhor enquanto ouvia a história. "Do rio dele? Como ele pode dizer isso para vocês?"

O homem assentiu com a cabeça, mostrando que também achava um absurdo. Uma desumanidade.

O fazendeiro disse então que se eles quisessem pegar água do rio teriam de pagar por ela.

Não havia jeito, eles não tinham dinheiro e precisavam de água para poder sobreviver. Passaram então a ir escondidos no meio da noite, usando um outro caminho, na escuridão total, para pegar escondidos água do rio do fazendeiro. E assim tocaram as obras de suas casas no meio da madrugada.

Eles usavam toda a água durante a madrugada, para não serem flagrados e punidos pelo fazendeiro. Nesta parte da história o morador lembrou-se, dando boas risadas, que, como era pouca e tinha de ser usada para a construção das casas e para os banhos, a água era reaproveitada ao máximo. Os baldes utilizados para as duas atividades eram os mesmos. Ele me disse que era comum a água dos baldes ficar suja de cimento e eles tomarem banho usando esta água sem saber, porque banhavam-se numa quase total escuridão. Eles só descobriam que tinham usado água suja quando acordavam de outra cor, com uma camada de cimento seco na pele.

Após algum tempo as primeiras casas foram construídas na comunidade. Como eles não podiam seguir para sempre pegando a água do fazendeiro de madrugada, arriscando a vida e carregando latas e baldes por quilômetros, resolveram construir uma pequena represa onde corria um pequeno filete de água perto das casas da comunidade. Era uma maneira de garantir um mínimo de água para suas necessidades diárias. Novamente pediram ao fazendeiro ajuda para construir a barragem, e novamente ele negou: água, dinheiro e ajuda. Mesmo assim, após mais de um ano de trabalho dos moradores, a barragem foi construída. E em pouco tempo estava cheia de água, que foi canalizada e passou a abastecer todas as casas da comunidade.

Este, porém, não é o final da história. E é aqui que entra o soco no estômago na nossa individualidade, no nosso egoísmo, no nosso comportamento competitivo e destruidor alimentado todos os dias por nossos professores e patrões na cidade grande.

Logo depois de terminada a construção da barragem, a maior seca que a região já experimentou teve início. Foram mais de seis anos praticamente sem chuva alguma. Uma seca tão grande que resultou em algo que jamais tinha acontecido na fazenda do coronel. Seu rio secou. De uma maneira quase inexplicável (e os menos céticos diriam até sobrenatural), porém, a represa que os moradores haviam construído seguiu com água! Água que não deixou nem por um dia de suprir as necessidades de todos na comunidade.

A vingança é um prato... | **39**

E, se você leitor está feliz com a conclusão da história, permita-me provocá-lo. É exatamente sobre não ficar feliz com este tipo de final de que se trata esta história. Não é uma história sobre vingança, é uma história sobre solidariedade. Não é uma história sobre vencedores e derrotados, é uma história sobre humanidade e compaixão.

Sem a água do rio, o fazendeiro começou a ver todo seu império ruir. Seus animais de criação estavam morrendo, sua lavoura foi sendo destruída, e ele não teve alternativa a não ser ir até a comunidade que tinha tratado de maneira tão desumana e pedir ajuda. Sabendo da represa que tinham construído e sabendo também que era a única fonte de água em quilômetros que não tinha secado, ele pediu aos moradores para construir um sistema de canos que levasse um pouco desta água a sua fazenda, para uso emergencial, e se dispôs a pagar o preço que fosse necessário para isso.

Os moradores então disseram que concordavam que ele captasse a água da represa que ficava em seu terreno. Ele poderia construir a estrutura para canalizar um pouco daquela água para sua fazenda. Mas eles não concordavam com uma coisa. Que ele pagasse por isso.

"Ninguém neste mundo deveria poder negar água ao outro, Eduardo", concluiu o morador. "Não podíamos, por mais maldades que ele tivesse feito, retribuí-lo na mesma moeda. Não é assim que a gente faz um mundo melhor."

Até hoje o fazendeiro usa a água da comunidade quando precisa. E talvez — e somente talvez — tenha se tornado uma pessoa um pouco mais humana após a lição que a vida lhe deu.

3.
AS (IN)VERDADES QUE REPETIMOS

Minha primeira viagem para morar junto com os irmãos e irmãs que vivem o lado amargo da desigualdade em nosso país teve como destino acampamentos do MST, o Movimento dos Trabalhadores Rurais Sem Terra. E o responsável por isso foi o amigo Jessé Souza, uma das mentes mais brilhantes de nosso país.

Tudo começou em um almoço, num restaurante vizinho ao escritório onde eu trabalhava, na avenida Juscelino Kubitschek, em São Paulo. Eu havia acabado de escrever meu livro *O que os donos do poder não querem que você saiba*. O livro, para os que ainda não o leram, marca o início da travessia sobre a qual fala esta obra. Não é um livro de respostas nem de conclusões, mas de dúvidas e questionamentos.

Em *O que os donos do poder não querem que você saiba*, eu, pela primeira vez, ouso questionar aquilo que sempre me foi passado como certeza, verdade. Questiono no livro o porquê de sempre ter sentido tanto ódio de Cuba e não ter me incomodado tanto com seu vizinho Haiti, onde a pobreza e sofrimento do povo são infinitamente maiores. Investigo a razão de sempre ter sido tão contrário à legalização da maconha e nunca ter me incomodado com o poder da indústria de bebidas alcoólicas, responsáveis pelo segundo maior número de mortes evitáveis no mundo (perdendo apenas para o tabagismo). E, entre tantas outras perguntas (se você ainda não leu o livro, sugiro que leia: é uma leitura fácil e rápida), questiono o papel do sistema financeiro, aquele do qual fiz parte por décadas, nas mazelas do mundo atual.

Aliás, uma das poucas conclusões a que chego no livro é a de que, ao contrário do que sempre achei, eu era o vilão e não o herói que buscava um mundo mais justo. Nas palavras de meu amigo e professor Eduardo Fagnani, que me deu a honra de escrever o texto de orelha do meu livro seguinte, *Desigualdade & caminhos para uma sociedade mais justa*: "Após passar vinte anos no mercado financeiro, Eduardo percebeu que estava 'olhando para o lado errado' e, mais grave, era um dos responsáveis pelo maior problema que o mundo vive há séculos: a desigualdade." Apesar de escrita na orelha do livro seguinte, a afirmação do xará vale perfeitamente como síntese da obra anterior.

Rapidamente, o livro *O que os donos do poder não querem que você saiba* entrou na lista dos mais vendidos e passou a ser lido tanto por simpatizantes da esquerda como por pessoas que me conheciam pela carreira de banqueiro de investimentos, estes mais à direita no espectro ideológico. Se entre estes últimos gerei, na maioria das vezes, um sentimento de indignação, afinal de contas eles se sentiam traídos — "o Eduardo ficou louco, já leu o último livro dele?" —, entre os da esquerda o livro gerou desconfiança e interesse. Desconfiança porque era muito difícil

As (in)verdades que repetimos | **43**

acreditar nas intenções de alguém que sempre havia estado do outro lado, lutando essa guerra diária de classes junto aos bancos e poderosos. Mas curiosidade e interesse porque o livro trazia abordagens e informações novas para questionar o sistema, algo que só quem já havia estado do lado de "lá" por tanto tempo, ocupando cargos importantes, poderia trazer.

Pouco a pouco comecei a ser chamado para dar entrevistas em veículos de comunicação do campo progressista. Meus questionamentos pouco a pouco ganharam espaço na arena de debate. Lentamente, algumas pessoas desse campo começaram a se aproximar, buscando compreender quais eram minhas verdadeiras intenções por trás de todo aquele discurso. Uma delas foi o meu hoje amigo Jessé.

À época Jessé era o autor mais vendido do Brasil, com seu estrondoso sucesso *A elite do atraso*. Quando almoçamos, eu ainda não tinha lido o livro, mas o conhecia bem; afinal, era ele que normalmente me tirava das primeiras posições das listas de mais vendidos. Eu finalmente ia conhecer o seu autor, meu algoz.

Sentamo-nos e começamos a conversar por volta de uma hora da tarde. A conversa fluiu incrivelmente bem. Desde o começo de nosso encontro encontrei um Jessé desarmado, sem um olhar de julgamento sobre meu passado de banqueiro e com uma escuta atenta. Contei sobre meus anos no mercado financeiro e ouvi sobre seus anos como presidente do Ipea. Disse-lhe que estava escrevendo um livro que iria se chamar *Desigualdade*, e expliquei a tese que defendia. Ele ficou encantado. O livro já estava, àquela altura, quase finalizado, e eu prestes a procurar alguém para editá-lo. Foi então que confessei a Jessé algo em que vinha pensando insistentemente.

Antes de começar a escrever *Desigualdade*, busquei ler tudo que conseguia encontrar sobre o tema. Não somente os livros mais populares, mas materiais que normalmente as pessoas não costumam acessar. Mergulhei em teses de mestrado e doutorado de universidades dos quatro cantos do mundo. Países nórdicos, Oceania, países da América Latina. Eu não buscava somente textos econômicos, li também muitos textos de sociologia, psicologia social e várias outras disciplinas que avançavam sobre a questão da desigualdade. Só que aquilo tinha um limite quanto aonde poderia me levar. Eu estava virando um "expert" em teorias e estatísticas sobre a desigualdade. Como se me preparasse para fazer uma prova sobre o tema e para responder a tudo certinho, de acordo com um gabarito. Mas o quanto eu conhecia sobre a desigualdade de fato, aquela experimentada pelas pessoas? Entrei numa paranoia de que a resposta era "nada". Eu conhecia somente livros sobre o tema, o que era muito diferente. Como diria um amigo indígena que conheci alguns anos depois, na região de Dourados, no Mato Grosso do Sul, e que à época cursava o mestrado: "Eduardo, estão me dando tantos livros para ler que estou ficando igual a um homem branco. O indígena sabe sobre a vida, o homem branco sabe sobre livros."

Olhei para Jessé e confessei o pensamento que insistia em me atormentar: "Jessé, os livros só serão capazes de me levar até certo ponto. A partir daí, somente a realidade poderá me ensinar. Eu quero poder morar temporadas com esses irmãos e irmãs que vivem nas condições que tenho estudado nos livros. Você pode me ajudar?"

"Que lugares você gostaria de visitar?", ele me perguntou.

Os grupos que eu tinha vontade de conhecer a fundo eram cinco. Eu gostaria de passar uma temporada em acampamentos do MST, em alguma região do Nordeste onde a seca e a pobreza sejam intensas, em uma favela metropolitana, em aldeias indígenas e num presídio.

Eram lugares que, além de despertar meu interesse no sentido de estudar o tema da desigualdade, carregavam um estereótipo do qual eu queria me livrar. Na bolha onde havia estado até aquele momento, eu sempre tinha ouvido falar desses lugares de maneira depreciativa.

"Olha, Eduardo, no MST eu acho que consigo te ajudar rapidamente. Conheço muito bem o João Pedro Stédile, um dos coordenadores nacionais do movimento, e posso pedir a ele que organize uma temporada sua em acampamentos e assentamentos."

Meio sem pensar no que eu estava falando, exclamei:

"Ótimo! Você faria isso por mim?"

Ele disse que sim!

Saímos do almoço quase às quatro da tarde, e pouco depois de chegar ao escritório um e-mail do Jessé me apresentando ao João Pedro já estava na minha caixa de entrada.

João Pedro não demorou a responder. Num e-mail cordial e atencioso, ele se colocou à disposição para organizar uma temporada minha em acampamentos e assentamentos do movimento. Perguntou quando eu estaria pronto para fazer a viagem e sugeriu uma data duas semanas à frente. Mais uma vez, respondendo muito mais no impulso do que racionalmente, eu topei! Estava marcada a minha primeira viagem. Como um amigo de infância costumava dizer, "vontade é uma coisa que dá e passa", e eu sabia que se pensasse muito talvez acabasse desistindo.

João Pedro passou então meu contato para uma companheira do movimento que sugeriu um roteiro com datas e destinos para a viagem. Aquilo, para mim, era um tiro no escuro. Será que eu iria encontrar os "terroristas, ladrões de terra", de que tanto ouvia falar na grande mídia? Tenho certeza de que para eles também era um risco. "Será que vale a pena abrir a porta de nossas casas para esse banqueiro capitalista?", devem ter pensado. Topamos. Que bom!

Assim que desembarquei no aeroporto em Londrina, no estado do Paraná, encontrei o companheiro que seria responsável pela minha viagem, o Tiago. Meio tímidos e sem jeito, eu e ele, trocamos poucas palavras, ele de boas-vindas e eu agradecendo o fato de ter ido me buscar. Entramos no carro e pegamos a estrada rumo ao acampamento.

Chovia torrencialmente, segundo ele um dos maiores temporais em muito tempo na região.

Pouco tempo após deixarmos o aeroporto estávamos já na rodovia, em direção ao primeiro lugar onde eu ficaria por alguns dias. A chuva havia aumentado. A visibilidade era de poucos metros à frente do para-brisa do carro, e a estrada não era das melhores. O limpador na velocidade máxima não conseguia ajudar muito. Entramos então em um trecho com uma longa subida, cercado de plantações de milho dos dois lados. Um trecho sem acostamento, sem lugar algum para parar o carro em caso de necessidade. Possivelmente já houve muitos anos antes, mas a deterioração do asfalto e o avanço da plantação deixaram poucos vestígios do que um dia existiu. Agora, o que havia era um pequeno recuo completamente esburacado, margeando a plantação de milho.

De repente, o susto. Um caminhão apareceu no alto da montanha à nossa frente, vindo na direção contrária, a uns duzentos metros de distância. Por causa da chuva, conseguíamos ver somente seu vulto. Logo em seguida apareceu um outro ao seu lado, este na nossa pista, ultrapassando o primeiro. Não havia o que fazer. Estávamos muito perto. O caminhão que estava ultrapassando não tinha mais como voltar atrás, nem tempo de completar a ultrapassagem. O que estava sendo ultrapassado não tinha mais como frear para abrir espaço, e nós não tínhamos para onde ir. Restou dar uma freada muito brusca, no meio da chuva, e jogar o carro para dentro do milharal. Quase tudo acabou ali. Estávamos pálidos, eu e o Tiago, pelo que tinha acabado de acontecer. Olhamos um para o outro e demos um longo suspiro. Nietzsche dizia que o que não nos mata nos fortalece. Aquela quase tragédia quebrou o gelo entre mim e o Tiago. Fomos conversando até o acampamento. Naquele momento, nos tornamos amigos. E continuamos sendo muito amigos até hoje.

Cheguei ao acampamento e tive meu primeiro contato com uma comunidade organizada pelo movimento dos sem-terra. Vim perceber, depois de outras viagens, que as formas como os acampamentos se organizam podem ser bem diferentes, apesar de alguns princípios comuns a quase todos. Naquele acampamento em particular, um acampamento relativamente jovem, as casas eram quase todas feitas de restos de compensados de madeira e lona.

Uma curiosidade em relação aos acampamentos do MST é que, mesmo depois de alguns anos ocupando um terreno, as casas podem ainda ser majoritariamente feitas de lona ou restos de madeira, apesar de a produção de alimentos já estar funcionando a pleno vapor e a escola para os filhos dos acampados apresentar uma construção muito mais sofisticada do que a das casas. Isso porque os recursos que vão sendo gerados pela comunidade têm uma ordem de prioridade para ser utilizados. Em primeiro lugar, a produção de alimentos — aliás, o lema do movimento é "Ocupar, resistir e produzir", nesta ordem. Em segundo lugar, a educação das crianças e a formação política e cultural dos assentados, através de programas como por exemplo o "Analfabetismo Zero", que testemunhei nesta minha primeira experiência, e que havia reduzido a zero o número de moradores e moradoras analfabetos. E aí, só depois de ter tudo isso garantido e bem estruturado, as casas começam a mudar de cara e a receber melhorias. Mesmo assim, poucas melhorias. Isso porque, enquanto estão como "acampados" (e não "assentados"), a terra ainda não é algo com que podem contar. A reintegração de posse e o consequente despejo são uma ameaça real e constante. Logo, não faz sentido alocar muitos recursos em algo que pode ser destruído por uma canetada política a qualquer instante.

Dona Eulália me recebeu assim que o carro parou. Seria ela minha anfitriã no acampamento. Dona de um sorriso encantador, ela me deu um abraço carinhoso e me convidou a conhecer o local onde eu dormiria. Peguei minha mochila e fui conhecer a casa. Chegamos perto de um pequeno barraco de madeira, com uma porta dividida em dois pedaços que abriam separadamente, um acima e outro abaixo, e ela destravou a tramela para que pudéssemos entrar. Assim que entramos, vi que na verdade não tinha muito para conhecer. A casa não tinha nada. Era um cubo, com cerca de quatro metros quadrados de área de chão, cercado por pedaços de madeira sobrepostos e coberto por pedaços de telhas de amianto.

"Você vai ter um sono gostoso aqui, essa casa é ótima", disse Dona Eulália. "No calor é mais complicado, chega a fazer mais de cinquenta graus por causa da telha, mas nessa época do ano é bem fresquinho, ainda mais com essa chuvinha que caiu. Vocês pegaram chuva na estrada?"

"Se eu te contar, dona Eulália...", respondi, dando um sorriso e olhando para o Tiago.

No meio da casa havia uma cama. Nenhum outro móvel. Absolutamente nada. Quando me sentei na cama, fui direto até o chão.

"Cuidado!", disse dona Eulália, dando outra risada gostosa. "Esse pedaço da cama está sem o estrado."

Dei também uma risada, amarela e constrangida, com vergonha do tombo que tinha acabado de tomar. Coloquei a mochila no chão e agradeci dona Eulália por me ter cedido a casa durante aqueles dias. Finalmente me senti em casa!

Chegou então a primeira noite e, bem cansado do dia que havia tido, me deitei para dormir. No início foi um pouco difícil me equilibrar no pedaço da cama que tinha estrado, mas logo me acostumei. Pouco a pouco fui apagando e adormeci.

Não demorou muito até que eu fosse despertado. Um vendaval fortíssimo entrava pelos buracos da madeira do barraco, fazendo um uivo forte e balançando toda a casa. Breu total. Ali, a primeira sensação nova para mim: dormir em um lugar que não era protegido do vento. Apesar de parecer um detalhe, é muito estranho não ter essa proteção para alguém que sempre dormiu num quarto vedado das intempéries da natureza; dá uma enorme sensação de fragilidade. Demorou pouco até que o vento se transformasse em chuva. Não somente chuva, mas um temporal, como poucas vezes vi na vida. Como aquele que nos havia surpreendido mais cedo na estrada do aeroporto até o acampamento. Se antes eram as paredes que não continham o vento, agora eram as telhas que não continham a chuva. Começou a chover forte dentro do barraco. A situação então era essa: madrugada, vendaval sacudindo a casa e uivando entre as frestas da parede, e um temporal caindo nas telhas de amianto, fazendo um barulho ensurdecedor, molhando todo o interior da casa. Lembro-me de pegar o celular para filmar a cena e depois não conseguir ouvir o que estava falando por conta do barulho da chuva batendo na telha. A tragédia de Brumadinho, que resultara na morte de centenas de pessoas, ainda era um fato recente, e foi inevitável pensar nisso ali sozinho, no meio do temporal.

Como todo temporal, num dado momento ele terminou. O silêncio voltou. E eu, cheio de adrenalina, tentei voltar a dormir no quarto agora todo molhado. Depois de fritar bastante na cama até me acalmar, adormeci. Meu sono mais uma vez não durou muito. Barulhos altíssimos de panelas batendo, parecendo um alarme, me fizeram dar um enorme pulo da cama.

"Meu Deus, alguma coisa séria está acontecendo. Deve ter sido por causa do temporal."

Olhei para o relógio: eram quatro e meia da madrugada. Então ouvi vozes. Fiquei ali quietinho tentando entender o que estava acontecendo. Até que percebi o que era. Era o chamado para que todos fossem trabalhar. É a essa hora que o trabalho do camponês começa.

Depois entendi por que eles começam a trabalhar tão cedo. O trabalho com a terra exige tanto esforço que em dias de muito sol é simplesmente impossível fazer o serviço no horário de maior calor. Curiosamente, era ao mostrar os trabalhadores em casa ou descansando no horário de almoço (em matérias que hoje vejo como claramente mal-intencionadas) que a grande mídia tentava retratar essas pessoas como "preguiçosos", "vagabundos".

A verdade é que elas começam a trabalhar quando nós na cidade nem estamos ainda pensando em acordar. A verdade ainda maior é que, se fossem preguiçosas, morreriam de fome. Não existe opção de sobrevivência para quem chega a uma terra totalmente improdutiva, sem ter dinheiro algum na conta ou qualquer ajuda do poder público, a não ser trabalhar para produzir o que irá lhe garantir o sustento. É tão óbvio! Matematicamente, claro. Mas eu nunca percebi. Porque, de tanto ouvir as mesmas mentiras, passei a não só acreditar nelas, como a repeti-las injustamente. E assim me tornei, sem perceber, o vilão do filme em que sempre achei que era o herói.

4.
AS AULAS DE ECONOMIA QUE A REALIDADE NOS DÁ

O QUILOMBO E A ECONOMIA DE LIVRE MERCADO

É curioso que para a maioria das pessoas a palavra *economia* tenha virado sinônimo de *dinheiro*. Isso porque a simples compreensão da etimologia desta palavra talvez nos trouxesse muito mais luz sobre os problemas econômicos do mundo do que poderíamos imaginar. Economia vem do grego *oikos* (casa) e *nomos* (ordem). É simplesmente a maneira que encontramos para colocar ordem na casa.

Mostrei no meu último livro, *Economia do desejo: a farsa da tese neoliberal*, como a tese mais aceita no mundo capitalista, a de que o estímulo ao lucro e à competição resulta no melhor cenário para consumidores e empresários (segundo a tese também o mais justo), pode ser incrivelmente sedutora do ponto de vista lógico. Mas mostrei também como os resultados verificados se distanciam muito do que a tese é capaz de prever, e tentei explicar os motivos que podem estar por trás desta diferença.

54 | Travessia

Uma tese — mesmo as defendidas por mentes brilhantes e respeitadas, como ganhadores do Prêmio Nobel de Economia — é somente isso, uma tese. Uma tentativa de explicar e prever o que é real. Mas jamais é o real em si. E no campo econômico compreender isso é muito importante. Afinal, de nada adianta acreditar em modelos econômicos complexos descritos em páginas de livros e ter a casa, *oikos*, completamente fora de ordem.

Passei duas décadas no mercado financeiro ouvindo multimilionários repetirem a torto e a direito determinados conceitos como se fossem verdades absolutas, sem jamais terem que aplicar em suas vidas a *economia* no seu sentido mais verdadeiro. Eles nunca tiveram de cuidar da casa e gerenciar recursos reais. Gerenciavam cifras nas telas de seus computadores, especulando com rumores e notícias para lucrar o máximo possível. As teses que garantissem a eles maior poder e possibilidade de lucro seriam sempre as preferidas. A casa, com o perdão da expressão, que se dane.

É por isso que costumo dizer que aprendi mais sobre economia nestas minhas viagens do que em todos os livros que li sobre o tema, somados. E é por isso que muito do que defendo e escrevo nada tem de base bibliográfica, mas sim de observação em campo. Achei divertido quando uma famosa economista brasileira disse que não leria meu livro sobre desigualdade porque não lia livros sem referências bibliográficas. Como citar uma referência bibliográfica de conclusões que foram tiradas somente pela observação? Hoje compreendo que, para muitos, essa hipótese sequer passe pela cabeça, afinal, tudo o que eles sabem veio daquilo que leram, e nada do que viveram. Fico com o comentário de um amigo querido: "Eduardo, seu livro não tem referência bibliográfica, tem referência biográfica, não ligue para estes comentários."

Descrevi, em *Desigualdade*, algumas destas experiências e lições econômicas que a observação me trouxe, como por exemplo o caso da incrível agroindústria de leite e derivados de um assentamento do MST que visitei no interior do Paraná, onde tudo funciona priorizando a cooperação com outras cooperativas menores e condições justas de trabalho para os funcionários. O lucro é muito mais uma consequência, ou talvez uma condição (sem algum lucro eles não conseguiriam seguir funcionando), do que uma prioridade. Pensando assim, eles resistiram à maior crise do setor em décadas e transformaram, exatamente neste período de crise, uma pequena agroindústria em um modelo de eficiência e produção de qualidade para o setor. Nenhum livro nas prateleiras dos banqueiros vai explicar como isso é possível.

Mas talvez a lição econômica mais importante que aprendi tenha vindo da viagem que fiz a um quilombo no interior do estado de São Paulo. Ela me foi sugerida pelo querido amigo frei David, coordenador da Educafro, ONG que oferece cursos preparatórios para inserir e garantir a permanência de negros nas universidades públicas e particulares do país. Frei David é certamente uma das mais importantes figuras da luta do movimento negro no Brasil, tendo sido inclusive um dos protagonistas do movimento que resultou na lei de cotas.

Frei David achava que eu deveria conhecer tudo o que existe por trás de um quilombo. Sua história secular de resistência, a forma como a comunidade se organiza, suas principais ativida-

56 | Travessia

des econômicas e, principalmente, a luta para garantir que seus direitos, garantidos por lei, sejam respeitados na prática.

Peguei o carro e parti sozinho para a viagem de cerca de quatro horas até o interior de São Paulo, na região onde fica o quilombo, próximo à fronteira com o estado do Paraná.

Talvez este seja até um tema para um outro livro, mas é incrível a sequência de coincidências que teimam em acontecer durante essas viagens no sentido de me proteger do perigo e me empurrar para os lugares certos. Forças sobrenaturais, diriam alguns, ou simplesmente o universo conspirando a favor, diriam outros. A questão é que, sempre que alguma coisa me coloca em risco nestas viagens, surge algo que imediatamente me salva.

Nesta viagem para o quilombo o risco que corri foi um simples pneu furado. A princípio, algo que não deveria despertar maiores preocupações. Não fosse, em primeiro lugar, o carro em que eu estava viajando, uma enorme caminhonete que não é fabricada no Brasil, com pneus do tamanho dos de caminhões e muito difíceis de serem trocados sozinho. Depois, o fato de que nos cinquenta quilômetros anteriores ao quilombo dirige-se por estradas pequenas, a maioria delas de terra e sem sinal de celular ou postos de gasolina, e com pouquíssimo tráfego de veículos ou transeuntes para se pedir ajuda em caso de necessidade.

Pouco antes de entrar nesse trecho da estrada, saindo da rodovia principal, eu tinha visto um posto de gasolina à minha esquerda. Não tinha motivos para parar ali, afinal tinha mais de meio tanque de gasolina, o suficiente para ir e voltar até o quilombo. No entanto, alguma coisa me fez frear o carro após já ter passado do posto e dar meia-volta para abastecer.

As aulas de economia que a realidade nos dá | 57

Assim que parei, o frentista me atendeu. Enquanto abastecia, pedi que calibrasse os pneus do carro. E aí, ao ver um dos pneus, ele exclamou, surpreso:

"Nossa, moço, venha aqui ver isso!"

Desci do carro e olhei para o que ele me apontava. No pneu da frente, na parte de cima (se eu tivesse rodado o pneu mais meia-volta, não seria possível ver), um parafuso enorme, daqueles de fixar vigas de madeira, enfiado no pneu até a base. Na calibragem, o medidor já apontava uma perda de pressão grande. Mais alguns minutos rodando e ele ficaria completamente vazio. Olhei em volta e vi uma borracharia pequena ao lado do posto. Levei o carro até ali e mostrei o pneu para o dono da borracharia. Ele tomou um susto:

"Olha, doutor, eu nunca tinha visto uma caminhonete desse tamanho, nem um parafuso tão grande assim num pneu. Seu pneu não tem câmara, vamos ver se o reparo que eu tenho aqui consegue dar jeito. Não sei se vai ser possível, afinal de contas não é todo dia que chega um pneu 315/70 nesta humilde borracharia."

Depois de uma hora de trabalho para conseguir tirar o pneu da roda com a máquina que ele tinha na borracharia, fazer o enorme reparo e testar o resultado no tanque d'água (onde o pneu mal cabia), o dono da borracharia conseguiu resolver o problema. Viva! Viagem retomada e a certeza de que os orixás do quilombo estavam comigo, me conduzindo pela jornada.

Chegando ao quilombo fiquei encantado já na primeira impressão. Margeando o caudaloso rio Ribeira, a comunidade de pouco mais de trezentas pessoas fica incrustada no meio de uma exuberante parcela de mata atlântica preservada, daquelas cada

58 | Travessia

vez mais difíceis de se encontrar. Uma floresta muito densa, com árvores centenárias enormes e uma diversidade de espécies que nos fazem ter uma boa ideia de como deve ter sido o Brasil quando os colonizadores por aqui chegaram. Aliás, não só as árvores estavam ali há centenas de anos, mas o quilombo também tem sua origem datada do século XVII, o que faz a experiência por lá ser uma verdadeira viagem no tempo.

Durante os dias que passei no quilombo, fiz questão de participar de todas as atividades da comunidade. Desde os encontros que acontecem periodicamente para debater e decidir as questões práticas referentes à comunidade até a rotina de trabalho de seus moradores.

Antes de entrar na questão da organização econômica do quilombo, vale a pena falar um pouco mais sobre a experiência de ter participado de uma reunião dos quilombolas. Eu havia sido convidado a assistir a um encontro onde seriam apresentadas as atividades realizadas no quilombo durante o último período, e votadas as próximas iniciativas. Ao final, me pediram que desse uma aula sobre educação financeira e economia política para os presentes. Eu era, em tese, o professor visitando a comunidade, mas, ao final do encontro, fui eu que tive uma das mais incríveis aulas de toda a minha vida.

Esses encontros para debater as questões internas da comunidade são uma constante nas comunidades carentes e perseguidas do interior do país, onde estive — de quilombos a acampamentos do MST. São uma aula de democracia direta. Todos e todas têm o direito de participar, de votar e de serem ouvidos pelos demais. As semelhanças não param por aí. Os encontros sempre começam ou terminam (em alguns casos começam e terminam) com místicas, momentos culturais que relembram e celebram a história das comunidades. A lição é a de que a coesão e a resistência desses grupos não são algo que existe sem esforço; precisam ser sempre cultivadas e lembradas para que sigam sendo seus pilares de sobrevivência.

Vivi ali no encontro uma sensação nova. Eu era o único branco e loiro no meio de mais de duzentas pessoas presentes. E estamos falando de um grupo formado majoritariamente de negros e negras retintos, o que fazia com que eu fosse ainda mais "estranho" ao grupo. Ou, pelo menos, assim me sentisse. Eu nunca tinha passado por isso. A sensação era de estranheza, inadequação e não pertencimento. No entanto, eles me acolheram. Mais do que isso, me fizeram sentir em casa, em uma casa que meus antepassados brancos tentaram destruir de todas as maneiras.

Eu disse certa vez, em uma conversa num acampamento do MST, que o que mais me impressionava nesses lugares que estava conhecendo era o fato de que eles tinham todo o direito de estar lutando por vingança, mas não o faziam. Havia séculos sendo maltratados, torturados, explorados e odiados, e ao mesmo tempo vendo o fruto de todo o seu trabalho ir parar injustamente nas mãos de seus algozes, seria absolutamente compreensível, quase um direito, querer dar o troco. Mas não é esta a razão da sua luta — talvez porque eles saibam como sofrem aqueles que são injustiçados pelo sistema e acreditem que ninguém mereça passar por isso. Sua luta é por um mundo mais justo, mais solidário e mais amoroso. Eles se tornaram muito mais humanos do que aqueles que os humilharam. São maiores.

60 | Travessia

Foi uma das aulas mais incríveis de educação financeira que eu já dei, a que aconteceu naquela reunião. Isso porque, nos dias anteriores, a experiência de trabalhar com os irmãos e irmãs do quilombo havia me ensinado algo muito diferente do que os livros que eu já tinha lido colocavam como dogmas econômicos.

A comunidade do quilombo, assim como boa parte das comunidades vizinhas, vive da produção de banana. O clima da região e as características topográficas fazem com que esta seja a atividade econômica mais propícia para se desenvolver.

Foi através do cultivo desta fruta que ao longo das últimas décadas a comunidade conseguiu conquistar um enorme avanço na qualidade de vida de seus moradores e moradoras. Isto porque programas desenvolvidos pelo governo federal, em parceria com estados e municípios, passaram a garantir volumes e preços na compra da sua produção. O principal desses programas foi o PAA, o Programa de Aquisição de Alimentos. Criado pelo art. 19 da Lei nº 10.696, de 2 de julho de 2003, o PAA possui duas finalidades básicas: promover o acesso à alimentação e incentivar a agricultura familiar. Para alcançar esses dois objetivos, o programa compra alimentos produzidos pela agricultura familiar, com dispensa de licitação, e os destina às pessoas em situação de insegurança alimentar e nutricional e àquelas atendidas pela rede socioassistencial, pelos equipamentos públicos de segurança alimentar e nutricional e pela rede pública e filantrópica de ensino.

Com a garantia de venda de parte de sua produção por um preço conhecido previamente, a comunidade pôde passar a se organizar. Dividiu o volume garantido de venda entre as famílias responsáveis pela produção no quilombo, proporcionalmente a sua capacidade, garantido sempre o mínimo para uma vida digna. As comunidades vizinhas, sabendo que não disputavam entre si os compradores da produção, viviam em regime de cooperação. De tempos em tempos faziam incríveis feiras, onde sementes e mudas eram trocadas, para que todos pudessem ter acesso ao que melhor tinha sido produzido em outras comunidades e levar essa genética para as suas.

Também era comum o intercâmbio entre moradores durante períodos de plantio, para que conhecessem e aprendessem as técnicas que haviam dado certo em outras comunidades. Com a certeza de que teriam dinheiro para comida com a venda de sua produção, os moradores desses locais deixaram de caçar animais selvagens nas matas e de cortar o palmito-juçara para vender ilegalmente (o corte desta planta é proibido por lei). Os pais e mães passaram a trabalhar perto de casa, no plantio de bananas, e isso lhes permitiu estar próximos de seus filhos e filhas, acompanhando seu crescimento e educação.

Como funcionam em regime de cooperativa, as comunidades passaram a ter dinheiro para executar obras básicas de infraestrutura que atendessem seus moradores, e para construir instalações como postos de saúde, creches e quadras esportivas. O resultado foi uma mudança brutal na qualidade de vida de todos no quilombo, em menos de uma geração.

Infelizmente, porém, esta não era mais a situação quando os visitei. De um total de sete contratos com governos estaduais, municipais e federal, a comunidade tinha perdido seis, restando-lhe apenas um. A pobreza tinha voltado a aumentar, e havia uma enorme preocupação sobre até quando este último contrato iria durar. Este foi, aliás, um dos temas da reunião da qual participei. Mas qual foi a mudança estrutural capaz de interromper um ciclo tão virtuoso?

A mudança foi uma daquelas propostas pelos livros de economia de autores que jamais viveram em um quilombo ou em uma comunidade de pequenos agricultores. Daquelas defendidas por especialistas em teorias aceitas por bancos e grandes corporações, estes que participam de *think tanks* patrocinados por estas mesmas empresas.

O que aconteceu foi uma mudança radical no pensamento econômico preponderante nas esferas municipal, estadual e federal após o ano de 2016. Na esfera federal, um golpe derrubou uma presidente democraticamente eleita e colocou no poder um vice-presidente com um plano econômico meticulosamente preparado pelos bancos, que incluía uma diminuição dos investimentos do Estado e reformas econômicas que garantissem maior participação da iniciativa privada na economia. Nas prefeituras (e dois anos depois nos governos estaduais), políticos alinhados ao pensamento dito "neoliberal" conquistaram a maioria dos cargos em disputa e após eleitos interromperam boa parte dos projetos voltados às camadas mais pobres, com o argumento de que estavam implementando políticas de responsabilidade fiscal.

No caso dessas comunidades, o raciocínio foi o seguinte: "Como assim garantir um preço e uma quantidade para os vendedores? Quem inventou isso só podia estar louco! Vamos colocá-las para competir e comprar daquele que oferecer o melhor preço, assim economizamos nossos gastos com alimentos!"

O raciocínio pode parecer lógico e até óbvio para muita gente. Mas é completamente equivocado. Primeiro, porque o gasto nunca foi em alimentos. Gravem isto: todo gasto é sempre com pessoas. Sempre, em qualquer atividade. Ou alguém já viu uma couve andando pela rua com uma nota de vinte reais no bolso? Uma alface andando com uma nota de cem? O dinheiro que eles diziam estar economizando com alimentos era na verdade o dinheiro que estava deixando de chegar àquelas famílias empobrecidas — que, consequentemente, deixaram de consumir nos mercadinhos locais, que tiveram de demitir funcionários. Muitos fecharam as portas.

E se o dinheiro estava deixando de chegar a essas comunidades, para onde então ele estava indo? Para os que passaram a ganhar estas disputas pelo menor preço! E quem eram estes? Os fazendeiros da região!

Claro, afinal de contas os fazendeiros têm uma produção em escala, podendo produzir em terras maiores. Usam defensivos agrícolas (agrotóxicos) para otimizar sua produção, algo que é pouco ou nada utilizado pelos pequenos agricultores. Têm acesso a crédito em bancos a taxas muito mais baixas do que os pequenos agricultores porque podem apresentar garantias. E usam máquinas caras, como tratores e sistemas de irrigação, para auxiliá-los na produção.

Ao perderem seus contratos com o poder público, os moradores dessas pequenas comunidades ficaram em uma situação financeira incrivelmente difícil. Restou a eles pedir emprego aos fazendeiros que ganharam os contratos. Os que conseguiram passaram a trabalhar longe de casa e dos filhos, ganhando

64 | Travessia

salários normalmente abaixo do mínimo estabelecido pela lei, aceitando condições que alguns qualificariam como de semiescravidão.

Os que não conseguiram tiveram de se virar para sobreviver. E isso muitas vezes significou ter de voltar a caçar animais selvagens dentro da mata ou a cortar palmito-juçara para vender ilegalmente.

Enquanto políticos cegos celebravam uma "economia" de alguns milhões de reais em "alimentos", não percebiam que estavam causando uma destruição de comunidades e do meio ambiente que custaria muitas vezes esse valor para ser consertada. Eles não foram capazes de compreender que de nada adianta "economizar na compra de alimentos" se isto significa que o dinheiro deixará de fluir para as camadas mais pobres, que não poderão mais comprar alimentos por conta própria e, em situação de miséria, precisarão do auxílio do Estado para se alimentar.

Outro efeito indesejável da competição imposta pelos governos visando à economia na aquisição dos alimentos foi a interrupção da dinâmica cooperativa entre as comunidades. No dia seguinte à publicação das novas regras, as comunidades interromperam os intercâmbios, as feiras e as trocas de sementes. Afinal de contas, eram competidoras e, por um instinto de sobrevivência, precisavam vencer a disputa pelo fornecimento de sua produção. O ciclo virtuoso foi todo desmontado. O tempo, curto, mostrou que os tais políticos fizeram o pior negócio do mundo com suas "economias" e "estímulos à competição".

Este tipo de conhecimento, infelizmente, não está nos livros de economia. Pelo menos não nos livros que faculdades e em-

As aulas de economia que a realidade nos dá | **65**

presas nos estimulam a ler. Daí a importância de nos colocarmos humildemente à disposição para escutar e aprender com esses irmãos e irmãs sobre a melhor forma de organizar suas economias locais.

Costumo brincar em algumas de minhas palestras que, se você quiser saber quem entende mais de economia, no verdadeiro sentido da palavra, o de *gestão da casa*, basta pegar um Prêmio Nobel de Economia e um acampado do MST (ou um quilombola), colocá-los na coordenação de duas comunidades distintas que vivam da produção de alimentos em regiões pobres e sem infraestrutura, e voltar depois de um ano para ver qual das duas comunidades estará vivendo melhor, com maior produção e mais feliz.

Não se trata aqui de um ataque à intelectualidade, muito pelo contrário: sou um apaixonado por livros e estudos. Trata-se de um convite à escuta, à humildade, ao reconhecimento do saber que existe para além das páginas dos livros.

5.
O DÉCIMO CÍRCULO DO INFERNO

O SOFRIMENTO DOS INDÍGENAS DE DOURADOS, NO MATO GROSSO DO SUL

A maior parte dos brasileiros não tem noção do tamanho da pobreza e miséria que existem no país onde vivem. Confesso que, até começar a fazer estas viagens, eu também não tinha. Isso porque uma coisa é se debruçar em estatísticas e estudos que mostram que dezenas de milhões de brasileiros passam fome. Outra é estar com quem passa fome. Uma outra, ainda, é passar fome com eles.

E olha que as estatísticas já são assustadoras. Li uma, outro dia, que me deixou impressionado. Foi numa matéria do portal UOL do dia 6 de julho de 2021. O artigo trazia a manchete: "Pandemia empurra 4,3 milhões para renda muito baixa nas metrópoles brasileiras." O texto destaca uma constatação do quarto boletim *Desigualdade das Metrópoles* (estudo produzido em parceria entre a Pontifícia Universidade Católica do Rio Grande do Sul, o Observatório das Metrópoles e a RedODSAL —

Observatório da Dívida Social na América Latina), de que a renda média per capita vinda do trabalho dos 40% mais pobres nas metrópoles do país havia caído para R$ 155,89 no começo de 2021. Com a cotação do dólar do dia, isso significava uma renda média de pouco mais de trinta dólares por mês, ou 360 por ano. Extrapolando este resultado para todo o país e imaginando, apenas como exercício, que as regiões não metropolitanas tenham estatísticas parecidas (uma suposição minha, não presente na pesquisa), chegaríamos à conclusão de que temos no país uma população de mais de 80 milhões de pessoas (40% dos mais de 210 milhões de brasileiros e brasileiras) vivendo com uma renda per capita similar à dos países mais pobres do mundo. Mais especificamente, estes 80 milhões representariam o terceiro país mais pobre do mundo entre os quase duzentos acompanhados pelo Banco Mundial, só perdendo para o Burundi e para a Somália, ambos países africanos nos quais a população vive em enorme miséria.

Tentem compreender esta estatística. Ela significa que, dentro do Brasil, temos um país com uma população do tamanho da população da Alemanha, maior que a do Reino Unido ou da França, vivendo em uma situação de pobreza maior do que a da República Democrática do Congo, do Haiti ou de Serra Leoa. O Haiti literalmente é aqui, só que para uma população quase oito vezes maior que a do país caribenho.

Foi numa conversa com um dos coordenadores nacionais do MST que recebi o convite para visitar o extremo da pobreza e da miséria no Brasil, escondidas da opinião pública pelos que desejam que as coisas sigam como estão.

"Eduardo, eu estou acompanhando estas suas viagens pelo país com muito interesse e entusiasmo. Acho que você vai ajudar muito as pessoas a compreenderem o que passam nossos irmãos e irmãs que vivem no Brasil profundo, esquecidos pelo Estado e atacados pelas lideranças políticas locais. O alcance de seus canais e redes é uma possibilidade para estas pessoas serem ouvidas e apresentarem seus problemas. Agora, deixe-me lhe dizer uma coisa. Se você tiver coragem e disposição, existe um lugar em que eu gostaria que um dia você passasse um tempo, para conhecer a maior tragédia humanitária que acontece no país. Trata-se da região de Dourados, no Mato Grosso do Sul. Uma região rica por conta do agronegócio, mas onde os povos originários, principalmente os da etnia guarani-kaiowá, estão sendo literalmente exterminados pelos fazendeiros. É um genocídio acontecendo à luz do dia sem que ninguém faça algo para impedir. Eles vivem em uma situação de pobreza indescritível, lutando para ter de volta terras que um dia foram suas, e passando por uma das situações mais tristes do mundo. A região já foi apelidada pela comunidade internacional como Faixa de Gaza brasileira."

Aquilo ficou na minha cabeça. Não consegui dormir mais uma noite sequer sem pensar no que o companheiro do MST havia me dito. Eu tinha de viajar para conhecer aquela região urgentemente. Passadas algumas semanas, consegui organizar minha agenda de trabalho para poder ficar uma semana fora, e, com a ajuda do movimento dos sem-terra, que organizou com lideranças locais um roteiro, parti para aquela que seria a viagem mais difícil de minha vida.

Dourados é uma cidade rica. Considerada por muitos a capital do agronegócio no estado do Mato Grosso do Sul, tem cerca de 225 mil habitantes e é responsável por um PIB que supera os 8,5 bilhões de reais, o que a coloca entre os duzentos maiores PIBs municipais do país. Tem como atividades econômicas principais a agricultura e a produção animal. É a maior produtora de milho do estado e a segunda maior em produção de soja, feijão e em tamanho do rebanho suíno e criação de aves. Dourados tem também a segunda maior arrecadação de ICMS do estado.

Toda essa riqueza, porém, não chega às mãos de todos os seus moradores de maneira equilibrada. Principalmente aos nossos irmãos e irmãs guarani-kaiowás, originários, dentre outras regiões, deste pedaço de terra do Brasil.

Se um dia eles já habitaram terras cheias de árvores e animais, esta realidade é distante no tempo e no espaço. Todos foram sendo exterminados com o tempo. As árvores, os animais e os guarani-kaiowás.

As condições em que eles vivem hoje são absolutamente indescritíveis. Só quando visitei a região pude entender realmente o que queria dizer o companheiro do MST quando me alertou para a urgência de atentarmos para a situação deste povo.

Já na cidade, tive a primeira indicação do que eu veria ao longo dos próximos dias: muitas crianças indígenas com as mães revirando latas de lixo em frente a casas luxuosas em busca de restos de comida. A cena se repetia quarteirão após quarteirão. O amigo, morador da região, que me acompanhava no banco do carona do carro, vendo minha reação diante da cena, falou: "Você tem que ver mais cedo, na hora que os empregados das casas

O décimo círculo do inferno | **71**

põem o lixo para fora. Reúnem-se multidões para pegar o 'lixo fresquinho', ainda com bastantes restos." É uma cena dilacerante.

Fomos então visitar as áreas da chamada "retomada" indígena. São as regiões de maior conflito entre indígenas e fazendeiros. Áreas que um dia já foram todas ocupadas por aldeias indígenas, mas que ao longo do tempo foram sendo tomadas pelo agronegócio. Hoje, sem ter como sobreviver nos pequenos territórios que lhes sobraram, algumas famílias ocupam terrenos nestas fazendas para pressionar o Estado pela demarcação de terras e pela garantia constitucional que lhes é devida. É uma terra de ninguém, um "Velho Oeste" brasileiro, ou, como já mencionamos aqui, a Faixa de Gaza brasileira.

As maneiras como as terras foram tomadas dos indígenas seriam assunto para um outro livro inteiro, e provavelmente eu não seria a melhor pessoa para escrevê-lo. Fato é que quase todas foram covardes ou ilegais. Muitas das terras foram griladas, outras compradas de algum indígena que não compreendia o que lhe era oferecido e não respondia como liderança da aldeia, mas assinava os papéis que passavam as terras para os fazendeiros em troca de valores irrisórios, e houve também as que foram tomadas à força, através do conflito direto, que resultou na morte de muitos indígenas.

Aliás, aqui uma curiosidade ao leitor, algo que aprendi nestas minhas viagens pelo interior do país: a origem do termo "grilagem". Dizem que este é o termo utilizado para os imóveis que foram registrados irregularmente no nome de fazendeiros, porque o método consistia em ocupar pedaços enormes de terra, forjar documentos com a ajuda dos cartórios locais, parte do esquema ilegal, e aí colocar os papéis em caixas que continham grilos. A urina dos grilos e sua movimentação dentro da caixa deixavam os papéis arranhados, rasgados e amarelos, com aparência de antigos, constituindo o método ideal para "provar" que as terras já estavam havia muito tempo no nome destes fazendeiros.

Com as terras griladas ou tomadas à força pelos fazendeiros, os indígenas, aqueles que sobraram, passaram a viver em territórios muito pequenos. O estado do Mato Grosso do Sul, um dia totalmente ocupado pelos povos originários, reserva atualmente menos de 2,3% de suas terras para os TIs (territórios indígenas), e somente menos da metade deste percentual está homologada e regularizada — o resto permanece em conflito. São dezenas de milhares de homens, mulheres, crianças e idosos vivendo aglomerados em pequenos bairros (chamados de aldeias, mas que em nada lembram uma aldeia como a imaginamos) muito pobres e violentos.

Sem espaço para plantar e caçar, a base da economia tradicional indígena, os adultos das comunidades têm que trabalhar na área urbana em empregos que pagam muito pouco, quase sempre na informalidade e sem qualquer direito trabalhista. As crianças, quase 50% da população das aldeias, vivem em condições miseráveis de saúde, em casas sem acesso a esgoto, água potável e luz elétrica. E, como consequência destas condições, problemas como o uso de drogas, o alcoolismo, a violência doméstica e o suicídio atingem níveis enormes entre os guarani-kaiowás. É muito importante compreender esta situação para entender que a "retomada" das terras pelos indígenas é bem mais do que uma manifestação política, uma luta por direitos,

O décimo círculo do inferno | 73

ou um enfrentamento dos fazendeiros. É a única opção de sobrevivência de quem teve absolutamente tudo retirado à força e injustamente.

Morei durante uma semana nesses territórios da retomada, dormindo em casas que, quando muito, tinham paredes de lona. Várias simplesmente não tinham paredes. O chão é de terra. Nenhuma casa tem banheiro; as necessidades têm que ser feitas num buraco a céu aberto, onde às vezes um "biombo" de lona velha proporciona privacidade para um dos campos de visão. Não chega água encanada nas casas: é preciso buscá-la em baldes a alguns quilômetros de distância, normalmente em lagos e riachos completamente poluídos pelo despejo de esgoto ou agrotóxicos utilizados nas fazendas.

Não há luz elétrica, e a partir das sete horas da noite, para quem tem a vista acostumada à cidade grande, não se vê absolutamente nada sem uma vela acesa — algo raro por conta do custo das velas e dos fósforos — ou sem a lanterna de um celular, que também pouco se usa, pois não há onde recarregar a bateria.

Lembro-me bem de minha primeira noite em Dourados. Às sete e meia, nos reunimos sobre latas amassadas e troncos de árvores e começamos a conversar em roda. Eu não entendia muito do que era dito, pois parte era falado em guarani e parte em português. Enquanto conversávamos, uma garrafa térmica velha com a água trazida do riacho mais próximo circulava entre nós. Um copo de alumínio amassado com um resto de erva-mate no fundo e com um canudo de metal improvisado circulava junto com a garrafa de mão em mão, para que pudéssemos tomar um pouco de tereré, o principal combustível do povo guarani na falta de comida. O canudo ia direto da boca de um para a boca do outro, sem qualquer tipo de incômodo. Fui o último da roda a tomar o chá.

Depois de um tempo de conversa, a moradora nos trouxe a comida que havia feito para celebrar nossa visita. Ela foi servida a cada um de nós já nos pratos. Cada prato era um "achado" do lixo de alguma casa da cidade. Alguns eram de papel com bordas rasgadas, como os de festas infantis, e outros eram tampas de panelas velhas. Não consegui reconhecer o que era a comida pelo paladar nem pela visão, dada a total escuridão. Eram restos de comida misturados com arroz. Perguntei se havia algum talher. Olharam-me com surpresa, como quem pensa: "E, agora, o que damos pra ele?" Quase todos comiam com a mão. No fim das contas me trouxeram uma colher torta e suja, que limpei na calça e usei para comer.

Foram assim quase todas as minhas refeições — as que tive — durante essa viagem. Numa delas, me ofereci para limpar os pratos de todos ao final da refeição. Tínhamos comido uma ga-linhada, preparada especialmente pela família para minha visita com uma das poucas galinhas que havia na casa. As galinhas, assim como todos os animais que vivem com estas famílias, são extremamente magras. Os pedaços cozidos quase não tem carne. Os pratos que peguei para lavar ao final da refeição tinham os ossos da galinha roídos e restos (dos restos) de comida. Pude ali, ao lavá-los, entender por que os pratos tinham tanto sebo e um cheiro forte tão característico em todas aquelas comunidades.

Como as casas não têm água, a louça, quando é lavada, usa a mesma água guardada em um tanque ou lata durante dias.

O décimo círculo do inferno | **75**

Quando fui lavar os pratos, ela já estava há dias sem ser trocada. Uma água escura e totalmente gordurosa. Não havia detergente ou sabão, coisas que custam muito caro quando se vive nestas condições. Eu tirava os ossos do prato, jogando-os no chão para serem disputados ferozmente entre dezenas de cachorros, e, em seguida, mergulhava o prato na água escura para tirar os restos de comida. Tinha de usar a mão para fazê-lo, na falta de esponja. O prato saía sem os restos, porém muito mais gorduroso do que havia entrado. Era o que dava para fazer. Depois, era colocar o prato no sol para que secasse.

Falo isso com certa vergonha, sabendo que esta é a triste realidade destas pessoas, mas depois de lavar todos aqueles pratos fiquei com o estômago embrulhado durante dois dias, sem conseguir comer absolutamente nada. Conseguia apenas tomar a água mineral que tinha levado comigo em algumas garrafas, a esta altura já quentes, e que ao serem consumidas me embrulhavam ainda mais. Emagreci cerca de quatro quilos durante essa viagem, de tanto andar e de tão pouco comer. Quando paro e penso que foram apenas cinco dias experimentando a rotina de uma vida inteira destas famílias, sinto-me destruído.

Conviver com essas famílias por uns dias me deu certa intimidade com elas. O suficiente para me contarem histórias de sofrimento que tinham passado durante a vida. E foi aí, ouvindo essas histórias, que eu desabei.

Quase todos os indígenas em Dourados têm alguma experiência muito triste de algo que aconteceu com eles próprios ou com alguém próximo. Normalmente envolvendo fome, tortura, dor ou morte. Às vezes, tudo junto.

A primeira pessoa com quem conversei durante algumas horas nesta viagem foi uma senhora que mora num barraco a poucos metros da rodovia. Já idosa, ela carrega uma tristeza indescritível nos olhos. Dos seis filhos e filhas que teve, quatro já foram assassinados. O mais novo foi morto aos 4 anos de idade pelas milícias dos fazendeiros. Em nossa conversa, ela me contou sobre os diversos métodos utilizados pelos fazendeiros para matar os indígenas, principalmente os que moravam nas retomadas.

Intitulei este capítulo "O décimo círculo do inferno" em referência à *Divina comédia*, em que o poeta Dante Alighieri descreve nove círculos de sofrimento para as almas que vão morar no local das penas eternas. Se tivesse conhecido a realidade dos indígenas de Dourados, talvez o poeta tivesse incluído um novo círculo em sua obra. Em Dourados, o que entendemos como "maldade" alcança novos patamares, novos significados. Se não tivesse ouvido pessoalmente as histórias que descrevo a seguir de uma senhora que perdeu mais da metade dos filhos assassinados e depois de outros indígenas com quem estive, confesso que talvez não acreditasse

Em Dourados, a lei é a da covardia, e não a dos mais fortes, como costumam chamar. Digo isso porque não gosto de chamar de "mais fortes" os fazendeiros, que vivem com toda uma estrutura política e institucional funcionando a seu favor. Policiais, delegados, juízes e políticos locais são meros cumpridores de ordens destes "coronéis" perversos. Chamar de mais forte quem passa o dia dando ordens para os outros agirem covardemente e de mais fracos aqueles que conseguem sobreviver trabalhando

O décimo círculo do inferno | **77**

de sol a sol, sendo atacados e sem ter o que comer, é uma inversão de conceitos. Fortes são os indígenas. Fracos e covardes, muito, são os fazendeiros.

E esta covardia dos fazendeiros está presente em todas as maneiras de matar os indígenas. Eu ouvi relatos de locais que perderam parentes de maneira absurda: pessoas eram enviadas às regiões de maior miséria e fome fingindo ser voluntárias de ONGs para distribuir marmitas com comida envenenada na intenção mesmo de matar o povo dali.

Outra tática vil, inimaginável, que me foi relatada era a convocação de vários funcionários das fazendas vizinhas para que todos juntos alinhassem mais de uma centena de caminhonetes uma ao lado da outra nos campos planos e acelerassem em direção aos indígenas, que desse modo não conseguiriam correr para lado algum sendo atropelados com seus filhos pelos automóveis.

Ou alcoolizando indígenas que vivem na beira da estrada, oferecendo bebida de graça e depois esperando em seus carros para atropelá-los na rodovia e dizer que estavam bêbados e entraram repentinamente na frente dos veículos, sem chance de frear a tempo.

Conheci uma criança, em uma das casas onde dormi, que aos 7 anos era praticamente cega. Coçava os olhos a todo instante, mal conseguindo abri-los, embaçados e cheios de lágrimas. Ela ficou assim por causa de outro método de assassinato em massa usado pelos fazendeiros, voltado principalmente para as crianças. Eles usam seus tratores para passar rente aos barracos construídos nas áreas de retomada e jogam quantidades enormes de agrotóxicos e venenos em cima das casas dos indígenas com filhos pequenos, com o objetivo de matá-los intoxicados. Uma verdadeira guerra química contra crianças indefesas.

E existe o método tradicional: atirar para matar!

Pude presenciar em Dourados cenas difíceis de acreditar. Caminhonetes pretas que fazem rondas nas fronteiras das fazendas procurando indígenas para matar. Em suas caçambas, homens de óculos escuros e vestidos de preto carregam armas de alto calibre sem o menor constrangimento, diante de todos e à luz do dia. Esta "caçada", aliás, é um dos motivos pelos quais pouco se dorme nas áreas de retomada. Os indígenas não querem ser pegos de surpresa. Nos dias em que estive lá, íamos dormir depois de uma hora da manhã e acordávamos pouco depois das três, também da manhã. Não consigo entender como eles conseguem viver assim rotineiramente; não deveria haver organismo capaz de aguentar isso.

Ouvi inúmeras histórias de mortes nesses confrontos diretos. Algumas que ficaram famosas na mídia e outras que, apesar de impressionantes, jamais chegaram ao conhecimento público. A morte nesses confrontos é tão corriqueira que perguntei a um dos caciques com quem conversei se ele já tinha perdido alguém assassinado pelos fazendeiros. Ele disse que parente muito próximo, não, mas citou uma lista interminável de conhecidos que tinham sido assassinados. Depois de andarmos mais algum tempo, mudei o assunto e perguntei sobre sua família, quantos eram, o que faziam, onde moravam. Foi então que, ao contar-me sobre a sua família, ele mencionou que uma das filhas fora assassinada pelos fazendeiros. Quando perguntei por que tinha me dito que nunca perdera um familiar próximo assassinado, ele me disse que tinha se esquecido do caso dela. Prestem atenção, ele havia se esquecido do assassinato de uma filha!

Para alguns, talvez seja difícil acreditar em histórias como esta. Para mim, que ouvi pessoalmente a história, também foi. Mas, depois desta viagem, pude ver, em outras aldeias onde estive, também muito pobres, localizadas em outras regiões do país, coisas parecidas. Conversei com muitos pais que perderam os filhos por suicídio e simplesmente apagaram o acontecimento da memória. Se não são perguntados especificamente sobre o caso, é como se não lembrassem que aconteceu. Um mecanismo psicológico de defesa, imagino, para poder conviver com a imensa dor.

Uma dessas histórias de assassinatos brutais em Dourados que ganharam repercussão foi a de um adolescente de 16 anos de idade. Ele estava pescando no lago de uma fazenda com os amigos. Abordado por um funcionário do fazendeiro, o jovem recebeu ordem de deixar imediatamente o local, pois o lago era do fazendeiro e ele não estava autorizado a pescar ali. Se não saísse, disse o funcionário, seria morto. O adolescente se recusou a sair. O capataz atirou nele e o matou. Simples e perverso assim. Eu visitei esse lago. Olhava para ele e não conseguia imaginar uma cena tão brutal acontecendo.

Mas a pior história, talvez, a que mais me mostrou até que ponto podem chegar a brutalidade e a desumanidade em Dourados, foi a de um indígena que sofreu uma tentativa fracassada de assassinato. Foi por pouco, mas ele conseguiu sobreviver e vive atualmente com uma cicatriz no peito e a bala do revólver alojada a menos de um centímetro do coração. Conversei com esse rapaz, cujo nome omitirei aqui, para sua proteção.

80 | Travessia

Sua fala é pausada e o ar lhe falta a cada sequência de frases. Ele ficou desse jeito, cansado ao menor esforço, depois de sobreviver à tentativa de assassinato que sofreu. Mesmo assim, vive de seu trabalho, que consiste em cuidar diariamente de uma plantação numa área de cerca de um hectare que alimenta toda sua família. É ele quem mexe com a terra, controla o mato, carpindo diàriamente a horta, colhe a produção e a leva para casa. Conta com uma pequena ajuda da família, mas quase todos também já sofreram algo e não podem ajudar muito. Seu filho é o menino que descrevi há pouco, o que ficou cego por conta dos ataques com agrotóxicos. Esse homem já tentou se aposentar por invalidez, mas ouviu do INSS que pode trabalhar e que estava na verdade com preguiça de pegar no pesado. Sem opção, ele arrisca a vida fazendo esse esforço diariamente.

O mais impressionante, porém, nesta história é o que aconteceu após a tentativa de assassinato do indígena. Para os que tiverem dificuldade de acreditar no que irão ler agora, alerto que tenho gravado o depoimento em vídeo do próprio indígena, filmado contra a luz do sol para que não possa ser reconhecido.

Com um tiro no peito, sangrando e quase morrendo, o rapaz foi levado com urgência até o hospital da região. Foi atendido pela médica de plantão, que o colocou na mesa de cirurgia e amarrou seus pés e mãos para que parasse de se mexer e pudesse operá-lo. Começou então a cirurgia, fazendo um corte com o bisturi em seu peito. Urrando de dor com a incisão e com a bala alojada no peito, ele me disse que pediu para a médica lhe dar alguma anestesia, para aliviar aquela dor insuportável. A resposta da médica foi assustadora. Ela lhe disse que havia começado a cirurgia sem anestesia para ele sentir a dor e aprender a não invadir mais as terras dos fazendeiros. E que da próxima vez não lhe cortaria o peito, mas a garganta. Não eram só os delegados, juízes e políticos que eram capangas dos fazendeiros. A médica também era.

Dourados, a cidade rica onde fazendas com pistas para aviões particulares e haras com cavalos de raça que custam milhões ficam a poucos quilômetros de crianças que comem restos de comida para sobreviver, é o décimo círculo do inferno.

6.
DO LIMÃO À LIMONADA

UM FINAL FELIZ (OU MENOS TRISTE) PARA A HISTÓRIA DE DOURADOS

As semanas que se seguiram a Dourados não foram fáceis. Depois de passar dias morando junto aos irmãos e irmãs indígenas e experimentando um pouco de suas rotinas e sofrimento, após ouvir suas infindáveis histórias trágicas, depois de ver o tamanho da miséria e da fome daquele povo, voltei para o conforto de minha casa. Para o ar-condicionado, para a comida abundante e fresca, para a segurança e para uma cama confortável. Me senti um traidor. Como eu podia tê-los deixado lá e voltado para a minha realidade depois de ter sido aceito em suas casas, compartilhado da pouca comida e do pouco espaço que tinham e merecido sua confiança para que me contassem até suas mais tristes histórias? Na verdade, sempre me sinto desse jeito quando volto de uma dessas viagens. E, após cada uma delas, só há uma saída para acalmar a consciência e conseguir dormir: dedicar a vida para mudar a realidade desse povo que sofre. Foi o que decidi fazer desde minha primeira viagem para os acampamentos do MST no estado do Paraná. E não foi diferente em Dourados. Talvez, na verdade, esse sentimento tenha sido maior somente por conta da dimensão da tragédia que pude testemunhar.

Ainda em Dourados, gravei um vídeo ao lado de um irmão indígena em frente a sua casa, uma das mais pobres que vi durante minha estadia, onde eu e ele, sentados num banco improvisado com um cenário desolador ao fundo, denunciávamos o que eu tinha presenciado durante a viagem. No meio da minha fala, perdi a voz. Não consegui, estando ali ao lado dele e vendo sua realidade, lembrando as histórias de morte e dor que narrava, segurar as lágrimas. Fiz uma pausa, respirei fundo, me recompus e voltei a falar. Ele assentia com a cabeça baixa enquanto ouvia, envergonhado e triste, a situação que denunciávamos. Foi minha primeira tentativa de fazer algo por aquela comunidade.

O vídeo teve um certo alcance. Logo atingiu mais de 100 mil visualizações em minhas redes sociais. Os comentários eram de revolta. Pouco depois de tê-lo postado, uns quinze minutos somente, recebi uma mensagem de texto de um amigo, o senador Fabiano Contarato, que dizia estar impressionado com o vídeo e pediu detalhes do que havia acontecido para tentar ajudar. Fabiano, aliás, sempre foi, nesta minha caminhada de aprendizado sobre a realidade da população empobrecida, uma das pessoas mais preocupadas e interessadas em ajudar. Passei para ele o contato de lideranças indígenas com as quais estive e de movimentos sociais de Dourados, e ele se comprometeu a entrar em contato. Soube posteriormente que realmente o fez. De resto, muita revolta por parte de quem assistia ao vídeo, mas poucos

Cartaz utilizado em protesto contra a morte de seis indígenas, incluindo uma criança de 4 anos. Nessa região, rica economicamente por conta do agronegócio, fazendeiros estão promovendo o genocídio de povos originários, principalmente dos guarani-kaiowás. Dourados/MS, 11/2019.

Centenas de famílias guarani-kaiowás moram em casas à beira da estrada. Dourados/MS, 11/2019.

Algumas das moradias ocupam as margens dos latifúndios de fazendeiros, a chamada "retomada indígena". Dourados/MS, 11/2019.

Muitas habitações nas áreas de retomada não têm parede, luz, água encanada e esgoto. Dourados/MS, 11/2019.

Casa de madeira e tecidos. Dourados/MS, 11/2019.

Interior de uma casa indígena. Dourados/MS, 11/2019.

Quilombo, localizado no Vale do Ribeira, visto por uma foto aérea. É exemplar a história de resistência da comunidade, a forma como se organiza, suas principais atividades econômicas e, principalmente, a luta para que seus direitos, garantidos por lei, sejam respeitados na prática. Eldorado/SP, 8/2019.

Casa de taipa típica dos quilombos da região. Eldorado/SP, 8/2019.

As plantações de soja, uma das forças motrizes do agronegócio, vêm devastando o interior do país e criando "desertos verdes". Florestópolis/PR, 2/2019.

As famílias que vivem nos assentamentos do Movimento dos Trabalhadores Rurais Sem Terra (MST) têm uma árdua rotina de trabalho. Produzem o suficiente para o próprio consumo, para dividir com a comunidade e para comercialização. O calçado aparece como testemunha desse trabalho. Florestópolis/PR, 2/2019.

Em vez de "o carro na frente dos bois", "a moto na frente do cavalo". Uma cena curiosa no interior do país.

Os acampamentos do MST variam bastante de configuração, e diferentes formas de moradia podem ser encontradas. Há desde casas de alvenaria até as com paredes de madeira ou de lona, que aos poucos vão sendo melhoradas. Centenário do Sul/PR, 2/2019.

Casa de lona de um acampamento do MST. São Miguel do Iguaçu/PR, 8/2021.

Fachada de uma casa em um acampamento do MST. São Miguel do Iguaçu/PR, 8/2021.

A casa de compensado e lona registra o que pedem aqueles que vivem nas regiões mais pobres do Brasil. Porecatu/PR, 2/2019.

As escolas dos acampamentos do MST se destacam pela organização e boa estrutura, uma vez que os recursos gerados pela comunidade têm a educação como prioridade. Porecatu/PR, 2/2019.

O saneamento básico não chegou à totalidade das regiões visitadas. O esgoto em boa parte das casas é ainda despejado a céu aberto. Sertão/CE, 5/2021.

Animais criados no quintal são a base da alimentação dos quilombolas da região visitada. Ivaporunduva/SP, [s.d.].

A utilização do forno a lenha é a realidade para quase todos os sem-terra, quilombolas e indígenas visitados.

A relação entre acampados e seus animais de estimação é tocante no MST. A amizade entre Edson Sant'Anna e seu cão, Bigode, é um exemplo disso.
São Miguel do Iguaçu/PR, 8/2021.

A criação de caprinos e ovinos é a base de muitos assentamentos do sertão nordestino. CE, 5/2021.

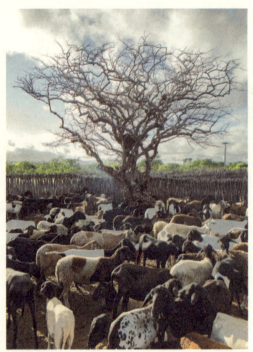

Criação de caprinos. CE, 5/2021.

As casas de taipa, como a da foto, e de alvenaria são típicas do acampamento do MST no interior do Ceará. 5/2019.

Casa de taipa à beira da estrada, no interior do Ceará. [s.d.].

Assentamento com casas bem estruturadas, no interior do sertão nordestino. CE, [s.d.].

A alegria de ser aceito como companheiro, ao lado de João Pedro Stedile e Armelindo Rosa da Maia.

resultados práticos. Logo, aquilo já tinha virado notícia antiga, e a denúncia perdido a força. E os indígenas de Dourados seguiam sendo mortos e passando fome.

Segundo *The Hype Machine*, o livro de Sinan Aral, somente no Facebook, em 2020, assistimos a mais de 100 milhões de horas e mais de 8 bilhões de vídeos todos os dias. No YouTube, segundo estatísticas públicas disponíveis na internet, eram mais de 5 bilhões de vídeos assistidos diariamente. Nesse ritmo frenético de novidades, um assunto novo, por mais chocante que seja, rapidamente vira assunto velho. Qualquer vídeo, por mais impactante e bem-sucedido que consiga ser na tarefa de chamar a atenção dos internautas, rapidamente vira somente mais um em meio a esta infinidade de conteúdo. E aí, morreu. Foi o que aconteceu com minhas denúncias em relação aos povos indígenas de Dourados: em questão de dias, elas deixaram de ser destaque para sumir na vastidão da internet.

Eu não podia aceitar aquilo. Era tudo muito grave e muito urgente para simplesmente virar "notícia antiga". Passei a falar então repetidamente sobre o tema. Em toda entrevista que dava, debate de que participava e palestra que ministrava, lá estava eu contando a história do genocídio que acontece à luz do dia em Dourados, narrando a tragédia que testemunhei na "Faixa de Gaza" brasileira. O resultado era sempre muito parecido: uma revolta que durava alguns dias, rapidamente se transformava em lamento e logo em uma vaga lembrança.

Foram literalmente dezenas de entrevistas para alguns dos veículos de maior audiência no país. Mais de um ano denunciando a tragédia aos quatro ventos (a viagem aconteceu em novembro de 2019) e nada de resultados concretos. Havia uma coisa, porém, que me intrigava durante todo esse período: a população de Dourados simplesmente não se manifestava sobre as denúncias. Era como se não se importasse com o que eu estava falando. Até que uma entrevista com um foco — a princípio — totalmente diferente mudou essa história. Foi uma entrevista sobre o projeto "O Brasil de Verdade", que tínhamos acabado de lançar pelo ICL, o Instituto Conhecimento Liberta.

Foi José Martí, líder revolucionário e mártir da revolução pela independência de Cuba, que disse que "só o conhecimento liberta". Uma frase já dita de maneira semelhante por diversos outros intelectuais, como por exemplo nosso Patrono da Educação, Paulo Freire. É esta também a percepção do amigo Jessé Souza, responsável pela minha incursão em busca da realidade vivida pelos irmãos e irmãs do Brasil profundo. E ele sempre me falou isso em nossas conversas:

"Eduardo, o mundo vive uma guerra de histórias, de narrativas, de pontos de vista. Todos sustentados por interesses individuais ou coletivos e capazes de libertar ou aprisionar. Precisamos criar uma estrutura capaz de oferecer a todos no país o acesso a um conhecimento de qualidade, libertador, crítico e profissionalizante. Mas, principalmente, independente. Esta é sua missão, encontre um jeito de fazermos isso."

Não era uma missão fácil, era óbvio, mas merecia toda minha atenção e esforço. Aquilo não saía da minha cabeça. Como fazer com que o conhecimento libertador, independente e de qualidade pudesse chegar a todos os brasileiros e brasileiras? Um dia uma ideia me veio à cabeça: o ICL, Instituto Conhecimento Liberta.

Ao longo dos últimos anos eu havia construído um público grande interessado em meus vídeos de denúncias e em meus cursos de educação financeira na internet. Só de alunos e alunas dos cursos de educação financeira, boa parte deles gratuitos, eram já mais de 1 milhão de pessoas. Percebam que não estamos falando de 1 milhão de seguidores em uma rede social, como o Facebook ou YouTube, mas de algo muito maior. Trata-se de 1 milhão de pessoas cadastradas com seus dados pessoais em cursos que duram várias horas, às vezes dias, e que passaram a ser gratas pelas informações que receberam me oferecendo em troca aquilo que de maior valor existe: sua confiança.

Eu também havia construído relações próximas com algumas das mentes mais brilhantes do país em várias áreas do conhecimento por conta da minha participação no debate político de diversos temas, como, por exemplo, as reformas da previdência e tributária. Professores e professoras das principais universidades do país em filosofia, economia, direito, política e história haviam se tornado mestres e amigos.

Um dia veio o estalo! Por que não juntar as duas coisas, esse enorme número de alunos com esses grandes mestres que conheci ao longo da caminhada? A ideia era criar uma espécie de "universidade de tudo" para todos. Com total independência, financiada unicamente pelos alunos e que pudesse oferecer os três pilares do conhecimento: cultural, espiritual e técnico. Um arcabouço libertador, capaz de formar cidadãos e cidadãs preparados para exercer seus ofícios e talentos, com visão crítica de mundo e fortaleza espiritual para vencer as dificuldades de seguir adiante num ambiente tão cheio de agressões e obstáculos.

O projeto era ousado e disruptivo. Pretendia criar um ambiente similar ao de uma universidade com aulas em horários definidos e quase sempre transmitidas ao vivo para permitir a interação entre alunos e professores. A curadoria dos cursos seria feita por um conselho de notáveis, representando diversos setores da academia e da sociedade civil. Todo o conteúdo ficaria gravado e disponibilizado para os alunos e alunas a fim de que pudessem acessar quantas vezes quisessem. O valor da mensalidade deveria ser simbólico ou gratuito para as pessoas que não tivessem condições de pagar, e os professores deveriam ser remunerados muito acima do que são na iniciativa privada. Uma conta difícil de fechar, eu sabia. A única saída seria já começar grande com uma base de alunos capaz de, através das mensalidades simbólicas, financiar todo o projeto. Resolvemos assumir o risco e tentar.

O resultado foi incrível. O ICL começou já com mais de dez cursos na grade e com professores com passagens por universidades como PUC, Unicamp, USP, Sorbonne e Universidade de Berlim, entre tantas outras de ótima reputação. Desde o começo oferecia cursos de inglês, mandarim, Excel, história do Brasil, filosofia, finanças e investimentos, marketing digital e *mindfulness*, para citar apenas os mais populares. A mensalidade foi fixada em pouco mais de quarenta reais por mês, em torno de um centésimo do valor cobrado pelas universidades, e os alunos que pudessem pagar cerca de vinte reais a mais financiariam uma bolsa integral para um aluno ou aluna que não pudesse pagar mesmo este valor simbólico. A remuneração para a hora-aula dos professores foi estabelecida em torno de dez vezes o valor

Do limão à limonada | **89**

pago pela iniciativa privada. E o que parecia impossível aconteceu: a conta fechou!

Em menos de um ano o ICL já contava com mais setenta cursos e cerca de 30 mil alunos e alunas, o que o colocava como um dos principais centros acadêmicos do Brasil. Dos 30 mil alunos, mais de 10 mil correspondiam a bolsistas integrais, uma proporção não igualada por nenhum projeto independente sem financiamento de empresas ou fundações. Uma quebra de paradigma, uma possibilidade de revolução no modelo de acesso ao conhecimento no país.

Assim que conseguiu colocar as contas no azul o ICL anunciou outra iniciativa revolucionária: financiar, através de bolsas de 50 mil reais cada, documentários produzidos por moradores de comunidades em dificuldade para que pudessem contar suas histórias para o mundo. Um projeto criado para oferecer trabalho e renda nas comunidades, mas, principalmente, para permitir que a história dessas pessoas pudesse ser contada através do seu ponto de vista, e não do de alguém de fora que, por mais bem-intencionado que fosse, jamais teria a mesma legitimidade ou vivência.

Assim que foi anunciado, o projeto, batizado de "O Brasil de Verdade", teve uma enorme repercussão. Primeiro porque era anunciado em meio a um dos períodos de maior ataque das instituições públicas à cultura brasileira. E depois porque significava a possibilidade de emprego e renda num momento recorde de desemprego e pobreza no país, sobretudo nas comunidades que eram o foco do projeto.

O período de inscrições foi de um mês. Para participar com chances de receber as bolsas, era necessário ter uma equipe diversa e formada inteiramente por moradores das comunidades cujas realidades seriam apresentadas pelos documentários. Tivemos a alegria de contar com o apoio do ator Wagner Moura, que, ao ficar sabendo da ideia, imediatamente se predispôs a ser um "padrinho" da iniciativa, ajudando a divulgá-la e depois interagindo com os contemplados.

Foram mais de 3.600 projetos inscritos, superando em muitas vezes nossas melhores expectativas. O resultado trazia pelo menos uma notícia boa e uma ruim. A ruim era o fato de constatarmos o potencial de produção de trabalhos importantes para o país que estavam somente aguardando a possibilidade de financiamento para acontecer. A boa era que tínhamos acertado o centro do alvo para a utilização dos recursos do ICL!

Após uma longa e criteriosa análise, que levou em consideração todos os critérios estabelecidos pela direção do ICL, foram escolhidos quatro projetos para receber as primeiras bolsas. O primeiro sobre a comunidade do Jacarezinho, no Rio de Janeiro, palco da maior chacina dos últimos tempos no Brasil. O segundo sobre a história das ocupações urbanas dos sem-teto na cidade de Belo Horizonte. O terceiro sobre personagens que participaram da construção do bairro da Cohab Adventista, em São Paulo. E o quarto sobre a realidade dos povos indígenas guarani-kaiowás, de Dourados.

Os pedidos de entrevista para falar sobre o projeto começaram a pipocar. Diversos sites, blogs e canais de YouTube queriam saber mais sobre a ideia que tinha causado tamanho rebuliço.

Entre eles, um pedido inusitado vindo de um dos canais com público mais conservador do YouTube. Um espaço frequentado, entre outros, pelos apoiadores mais radicais do presidente Jair Bolsonaro, claramente contrários à ideia do ICL. Resolvi aceitar o convite, o que surpreendeu muita gente.

A entrevista correu sem grandes problemas. Para ser sincero, fiquei surpreso ao ver que o número de pessoas que teciam elogios ao projeto era quase igual ao das que faziam ataques e xingamentos, bem diferente de minhas expectativas. Durante a conversa, surgiu a questão de Dourados numa pergunta da entrevistadora, e pela enésima vez relatei tudo o que havia presenciado em minha visita à região, neste momento já distante no tempo mais de um ano. Apesar de ser uma transmissão ao vivo com dezenas de milhares de visualizações, foram poucos os comentários e reações especificamente sobre este tema, e os que foram feitos solidarizavam-se aos indígenas. A entrevista acabou e parecia que, pelo menos em relação à questão de Dourados, seria somente mais uma tentativa frustrada de dar repercussão aos problemas que eu tinha presenciado.

Exatamente uma semana depois da entrevista, no meio de uma tarde tranquila de sábado, meu celular começou a vibrar ininterruptamente, numa sequência intensa de notificações. Fui ver o que estava acontecendo, e as notificações vinham todas do Instagram. Quando abri a caixa de mensagens, o susto. Em menos de dez minutos, já eram mais de cem mensagens me atacando e xingando de todas as maneiras possíveis, algumas com ameaças claras e diretas. Fiquei sem entender o porquê de todos os ataques e, principalmente, de estarem chegando todos ao mesmo tempo. Foi então, lendo alguns comentários um pouco mais extensos, que comecei a entender o que se passava. Aparentemente, a cidade inteira de Dourados tinha recebido uma mensagem, espalhada através de grupos de WhatsApp, com uma edição da entrevista que eu havia dado, descontextualizando um trecho no qual eu falava que "em Dourados as pessoas comem restos de comida", sem mostrar a parte onde eu explicitava que me referia à viagem que tinha feito às aldeias indígenas. A mensagem dizia que eu estava difamando toda a população de Dourados, espalhando mentiras sobre a cidade. Ao que parece, pelo teor comum dos xingamentos que recebi, me qualificava também como "comunista" e "maconheiro".

Infelizmente, o que parecia ser um ataque grande e coordenado era na verdade somente o começo do que viria a seguir. O vídeo com a edição de minha entrevista tomou rapidamente uma proporção gigantesca, e os xingamentos passaram a virar ameaças de agressão física e até de morte. Recebi muitas destas últimas, mais de cem. Os xingamentos e ataques a minha reputação passaram de algumas centenas para milhares. O clube de tiro da região fez posts incitando o ódio contra mim. O prefeito, vereadores e um deputado estadual se pronunciaram publicamente, me atacando, e duas moções de repúdio, uma na assembleia legislativa e outra na câmara dos vereadores, foram propostas. Tudo isso em poucas horas. Fiquei muito assustado, sem saber o que fazer. Não somente eu, mas meus filhos e minha companheira também.

Minha primeira atitude para me defender dos ataques foi gravar um vídeo duro respondendo ao prefeito, aos vereadores e aos

Do limão à limonada | **93**

deputados, no qual eu dizia ter sido surpreendido com a proposta de uma moção de repúdio a minha fala, sem que eles sequer comentassem a questão da fome e da miséria dos indígenas que eu havia denunciado. No mesmo vídeo, reiterei o que havia dito na entrevista e falei que os indígenas de Dourados viviam um genocídio à luz do dia, e que, se toda aquela confusão tivesse servido para dar palco ao problema, então todo o estresse teria valido a pena.

Enviei o vídeo para alguns senadores e deputados com quem tinha alguma relação, por serem simpatizantes das causas dos direitos humanos, e pedi proteção contra os ataques covardes que estava recebendo por parte dos políticos de extrema direita aliados aos grandes proprietários de terra da região. Vários partiram em minha defesa. Em especial a deputada federal Jandira Feghali (PCdoB), o deputado federal Alexandre Frota (PSDB), o deputado federal Paulo Teixeira (PT), o deputado federal Vander Loubet (PT), o deputado estadual Pedro Kemp (PT) e o senador Jean Paul Prates (PT).

Em pouco tempo o vídeo com minha resposta passou a ter um número de visualizações maior do que o vídeo com a edição maldosa que havia gerado os ataques. A estratégia estava funcionando: eu finalmente estava conseguindo transformar aquela situação assustadora numa chance de fazer o Brasil conhecer a realidade do povo indígena de Dourados. Várias lideranças locais começaram a entrar em contato comigo se solidarizando e se colocando à disposição para ajudar no que fosse preciso. Entre elas estava o advogado Tiago Botelho, presidente da comissão de direitos humanos da OAB da região, que disse conhecer de perto a situação dos indígenas, concordar integralmente com minha denúncia e poder ajudar nesta disputa de narrativas apresentando pessoas que poderiam se somar a nós. Hoje percebo que Tiago foi o fiel da balança. Depois que ele entrou no jogo, a balança passou a pender definitivamente para o nosso lado. Isto tudo aconteceu em somente dois dias, um sábado e um domingo.

No domingo à noite tive uma ideia: era chegada a hora de transformar de vez aquele limão numa limonada e realizar a primeira ação prática para ajudar os guarani-kaiowás desde que minha primeira denúncia havia sido feita. Liguei para o Tiago.

"Tiago, tive uma ideia", disse, já no início da conversa. "Vamos aproveitar todo este barulho para fazer uma campanha de arrecadação de fundos para as aldeias dos guarani-kaiowás, que estão passando fome e sendo atacadas pelos fazendeiros. Você conseguiria chamar algumas lideranças para participar de uma *live* no meu canal do YouTube amanhã de manhã? Podemos pedir eles falem um pouco da realidade que vivem e ao final abrir uma vaquinha para comprar alimentos. Acha que dá tempo de organizar?"

"A ideia é muito boa", disse ele. "Vou tentar falar com algumas pessoas e já te respondo."

Antes de desligar, completei:

"Ah, e se conseguir, convide também o prefeito. Por mais que ele tenha me atacado, prometo tratá-lo com todo o respeito. Acho que seria importante se ele se convencesse da urgência do problema; afinal, quem perde com esta briga são os indígenas."

"Vou tentar", disse ele. "Mas acho difícil."

Poucas horas depois, Tiago me ligou. A presença de quatro pessoas estava confirmada para a *live*. Duas lideranças indígenas, uma defensora pública e um poeta que escreve sobre a realidade destes povos, que abriria o encontro com uma de suas poesias. O prefeito ainda não tinha respondido se poderia participar, mas já dava indicações de que não o faria. Tudo certo. Estava lançada a sorte. *Alea jacta est.*

No dia seguinte de manhã a *live* aconteceu. O público foi enorme, como esperávamos; afinal, depois do final de semana, todos estavam curiosos para saber o que eu teria a dizer. As falas das lideranças indígenas e dos convidados foram potentes e emocionantes. Chegando já próximo ao final do encontro, anunciei a campanha de arrecadação.

Fiquei sabendo, alguns dias depois, que a maior campanha de arrecadação de alimentos realizada até então em favor dos indígenas de Dourados tinha arrecadado cerca de 5 mil reais. Colocamos como meta arrecadar 50 mil reais, dez vezes mais. Antes do final da *live*, porém, a arrecadação já passava de impressionantes 100 mil reais!

Em menos de uma semana o valor ultrapassou meio milhão de reais. Dez vezes mais do que nossa ambiciosa meta, e cem vezes mais do que a maior campanha realizada até então! Estava feita a limonada.

As moções de repúdio não foram adiante. Em vez delas, recebi duas moções de congratulações por conta da iniciativa que liderei, uma da assembleia estadual do Mato Grosso do Sul e outra da Câmara dos Deputados.

Com mais de 500 mil reais na conta da plataforma de arrecadação, tínhamos agora outro problema — um problema bom. Precisávamos criar uma estrutura para gerir com eficiência e transparência esses recursos.

Tiago criou então um conselho de quinze pessoas para fazer esta gestão: sete representantes dos povos indígenas, sete representantes de movimentos sociais e ele. A ONG Gaia+, uma das mais respeitadas instituições do terceiro setor no país, se colocou à disposição para coordenar os desembolsos e fazer o controle dos gastos. Decidimos que, para potencializar o efeito transformador das doações, iríamos comprar o máximo de alimentos que conseguíssemos dos pequenos agricultores da região, alguns deles indígenas também. Assim, a ajuda seria dobrada, indo para os indígenas que receberiam os alimentos, e para os agricultores, que receberiam renda. O projeto começou a ficar tão bem estruturado e organizado que ganhou um nome e marca: projeto Ânimo!

O comitê decidiu que o dinheiro seria gasto da seguinte maneira: 150 mil reais para a compra emergencial de cestas básicas para atender a mais de mil pessoas, todas cadastradas pelo projeto Ânimo e não atendidas pelos programas públicos da região, e os outros 350 mil (um pouco mais do que isso, na verdade) para iniciativas estruturais, como a construção de hortas comunitárias em parceria com as universidades da região e a construção de poços artesianos nas comunidades.

Uau, conseguimos! O que parecia uma tragédia, e que começara com ameaças de morte e intimidações, havia se transformado em uma campanha histórica e maravilhosa. Não seria exagero dizer que muitas vidas foram salvas por esta iniciativa. Muitas delas, provavelmente, de crianças, que representam quase metade da população destas aldeias. E embora muito ainda precise ser feito para aliviar a miséria desses povos, mostramos que o ódio pode ser respondido com amor. E que, no meio deste caos em que vive um dos países mais desiguais do mundo, ainda existem oportunidades de transformar limões azedos em deliciosas limonadas.

7.
A DOR E A ESPERANÇA DAS CRIANÇAS CARENTES

A pandemia da Covid-19 me fez interromper durante um período de mais de um ano as viagens que vinha fazendo pelo interior do país. Nesse período me recolhi com a família no sítio que temos em Jacareí, cidade distante uma hora de São Paulo, e passei a acompanhar a evolução da situação do país de forma remota por lá.

Foram meses necessários de isolamento para proteger a família e outros com quem evitava contato ao estar lá. Esta era uma das características da pandemia que muitos tinham dificuldade de compreender: o isolamento não era simplesmente uma atitude para se proteger, era também uma maneira de cuidar dos outros ao não se transformar em vetor para a disseminação do vírus. Infelizmente essa não foi a atitude de muitos brasileiros. Alguns porque não compreendiam a importância de se isolar, mas a grande maioria simplesmente por não ter condições financeiras ou estruturais de trancar-se em casa. Faltava espaço e faltava dinheiro. Era escolher o risco de morrer por Covid-19, uma possibilidade, ou o risco de morrer de fome, uma certeza se não gerassem renda.

Acompanhei durante a pandemia, angustiado, a evolução dos indicadores que denunciavam o empobrecimento do país. Vi a informalidade e o desemprego atingirem níveis recordes, a renda do trabalho dos mais pobres encolher quase um terço, o número de pessoas passando fome aumentar na casa de milhões e a população em situação de rua explodir. Enquanto isso, bancos seguiam reportando lucros recordes e o número de bilionários do país não parava de crescer. Eu não via a hora de voltar a colocar o pé na estrada para poder testemunhar o tamanho do estrago e denunciar as condições inaceitáveis em que tinham sido jogados nossos irmãos e irmãs mais pobres.

A primeira viagem estava marcada para março de 2021. Eu iria de carro até Foz do Iguaçu, parando em várias cidades no caminho para conhecer desde acampamentos do movimento dos sem-terra até aldeias indígenas. Seria já uma viagem forte e difícil antes da pandemia começar. Eu ficava imaginando como estariam aquelas pessoas depois da pandemia.

A segunda onda da pandemia no Brasil, porém, nos obrigou a adiar a viagem. Em todo o país a situação era caótica, com filas nas UTIs dos hospitais e milhares de mortes acontecendo todos os dias. Em Foz do Iguaçu e nas cidades vizinhas a situação não era muito diferente. Minha angústia por não poder viajar não parava de crescer. Até que, em agosto de 2021, passados mais de quinze dias após tomar a primeira dose da vacina, e me certificando de ter todos os cuidados possíveis, decidi fazer a viagem. Eu não conseguia mais esperar.

Seria uma viagem longa, mais de trinta horas dirigindo por cerca de 3 mil quilômetros ao longo do trajeto de ida e volta. Me preparei psicologicamente para enfrentar um cansaço grande e uma realidade chocante. Só não imaginava que logo no começo receberia um golpe tão grande como o que recebi. Um golpe que cortou fundo as profundezas de minha alma.

Só havia se passado um dia após minha saída de São Paulo, e eu estava em um assentamento perto da cidade de Cascavel, uma das mais ricas do estado do Paraná por conta das atividades ligadas ao agronegócio. Era o primeiro lugar que eu visitava, e haviam preparado para mim um encontro com toda a comunidade, que aconteceria na escola estadual que fica dentro do assentamento. A escola estava em frangalhos! Com as salas de aula construídas de madeira, várias portas e janelas quebradas, pouca iluminação, falta de água e equipamentos em péssimo estado de conservação, o cenário que vi era muito triste. A comunidade de pais, mães, alunos e alunas voltaria a se encontrar naquele dia após meses longe da escola por conta da pandemia para receber minha visita e me apresentar sua realidade.

As reuniões do MST são incríveis, e quem nunca participou de uma deveria um dia experimentar. Elas seguem rigorosamente um ritual, que inclui não somente as pautas a serem discutidas, mas também momentos culturais e de lazer. Existe toda uma preparação para se chegar aos resultados desejados, em que se estimula a participação de todos e um clima adequado e democrático de debate. Elas conseguem ser, ao mesmo tempo, efetivas e cativantes.

Todo encontro, como já citei em outro capítulo, começa com um momento de "mística". Um momento cultural marcado por uma poesia, um canto ou um trecho de uma apresentação teatral. É o momento de manter viva a história do MST e seus princípios. O momento de *cultivar* o que mantém unida a comunidade. Não é à toa que chamamos isso de *cultura*. Naquele dia, na reunião na escola estadual, o encontro foi aberto com lindas músicas, seguidas da declamação de uma poesia por parte de um dos moradores.

Após a poesia, a história da escola e do assentamento foi contada por moradores e alunos, que se revezaram apresentando cronologicamente os principais eventos ocorridos desde sua fundação. Até chegar a vez de um deles contar sobre a situação atual da escola. Uma situação que envolvia não somente o abandono das instalações por parte do estado, mas também outra dura realidade que ameaçava as famílias dos alunos: o acampamento onde vários moravam estava ameaçado de despejo.

A diferença entre um acampamento e um assentamento é que o primeiro ainda não teve sua situação regularizada. Explico essa questão detalhadamente em meu livro *Desigualdade & caminhos para uma sociedade mais justa*; aos que quiserem se aprofundar no tema, recomendo a leitura. Os acampamentos têm dois destinos: ou são contemplados com a reforma agrária ou sofrem um processo, normalmente movido pelos proprietários "legais" do terreno, de reintegração de posse. Processos de reintegração de posse, quando autorizados pela justiça, resultam na expulsão, chamada também de *despejo*, das famílias que moram no local, normalmente sem qualquer destino assegurado ou qualquer apoio oferecido pelo estado.

Ouvir de qualquer morador o que significa o medo de ser despejado corta o coração. Mais do que somente a ameaça de

A dor e a esperança das crianças carentes | **103**

"perder a casa", o despejo significa dar adeus a toda uma vida construída durante anos. Adeus a um círculo de relacionamentos, à terra onde se aprendeu a plantar, a uma rotina e, claro, também à casa. Ouvir isso de uma criança, porém, é destruidor. E foi isso o que aconteceu naquele dia.

Assim que a história da escola e do assentamento terminou de ser contada, chamaram Pedro, um dos alunos, para me entregar um presente. Eram cartas e desenhos feitos pelos estudantes do quinto ano, todos com idades em torno dos 10 anos. Nas cartas, as crianças me contavam como era viver no acampamento e me pediam ajuda para não serem despejadas. Para representar todas as cartas, Pedro leu a sua em voz alta. Ele começou a ler e não conseguiu ir adiante. Chorava e tremia copiosamente até ser acalmado pela professora. Respirou fundo e recomeçou. Leu então fazendo várias pausas para chorar. Àquela altura não era mais somente ele quem chorava. Eu e todos presentes também.

Reproduzo sua carta fielmente abaixo:

Eduardo Moreira,

Eu sou o Pedro, moro no acampamento Resistência Camponesa, e estudo na turma do quinto ano da escola Zumbi dos Palmares.

Estamos há 20 anos lutando pelo nosso assentamento e agora está com risco de despejo por isso precisamos de você Eduardo Moreira, porque o acampamento é nosso lar e nós crianças não queremos ser despejados e termos de mudar de escola.

Eu não me imagino fora do acampamento, ele é meu lar, não quero perder minha casa. Eu nasci lá e quero continuar morando lá. Eu sei que um dia virará assentamento e todos seremos muito felizes, plantando e colhendo alimentos orgânicos

Nenhuma criança no mundo deveria passar por aquilo que Pedro estava passando. Sou pai de um filho e de duas filhas, todos à época com idades parecidas com a do Pedro, e não conseguia parar de pensar neles ouvindo a leitura de sua carta. O mais duro foi receber o pedido de ajuda e não poder prometer que resolveria o problema, que estava além de meu alcance. Tudo que fiz foi dar um abraço em Pedro e chorar. Saí do acampamento com vontade de interromper a viagem e voltar para casa para abraçar meus filhos, destroçado.

* * *

As pessoas não têm ideia do quanto sofrem as crianças que vivem neste Brasil que experimenta a miséria e a pobreza. Os problemas são muitos e vão desde a violência doméstica até a fome e o trabalho infantil. Lembro-me bem de quando tive uma breve passagem como comentarista de um dos principais programas de rádio do Brasil em 2018 e tive de dar a notícia de um relatório do Unicef divulgado naquele ano que mostrava as privações de direitos fundamentais pelas quais passavam as crianças do país.[1]

---

1. Disponível em: <www.unicef.org/brazil/media/2061/file/Bem-estar-
-e-privacoes-multiplas-na-infancia-e-na-adolescencia-no-Brasil.pdf>.

A dor e a esperança das crianças carentes | 105

Os dados do relatório eram assustadores. Um deles não saiu da minha cabeça até hoje. Existiam no Brasil, naquele ano, mais de 400 mil crianças com idade entre 5 e 9 anos sofrendo exploração de trabalho infantil ou doméstico. Quase meio milhão de crianças, da idade dos meus filhos, forçadas a trabalhar! Fazer estas viagens é colocar rostos para estas estatísticas tristes.

Numa outra viagem que fiz, também para o interior do Paraná, presenciei uma situação igualmente forte relacionada à questão das crianças que vivem em acampamentos. O local onde ficava o acampamento já fora um dia uma rica e luxuosa fazenda. Com o tempo, ela foi abandonada e se tornou totalmente improdutiva. Quando ocupada pelos sem-terra, estava vazia, mas tinha ainda boa parte das instalações construídas pelo antigo proprietário praticamente intactas. Uma delas era o antigo haras onde guardava cavalos de raça.

Os leitores mais antigos sabem de minha paixão por cavalos. Não seria mentira dizer que foram eles os responsáveis pela grande mudança de rumo que dei na vida pouco após completar os trinta anos. Após um acidente montando um cavalo comprado na internet e após uma viagem para aprender os métodos não violentos de doma do americano Monty Roberts, me tornei um palestrante, escritor e peregrino pelo Brasil. E estas três coisas foram os pilares da transformação que eu viveria alguns anos à frente, ao embarcar numa jornada de estudos e luta contra a desigualdade social. Aos interessados por essa minha história com os cavalos, recomendo a leitura de meu livro *Encantadores de vidas*, que já passa de mais de 100 mil cópias impressas.

106 | Travessia

Fato é que já rodei boa parte do país, certamente a maioria dos estados, visitando haras e criadores de cavalos. Poucas vezes vi um lugar como aquele. A estrutura era enorme e suntuosa. A pista coberta para se andar a cavalo, anexa ao estábulo, era a maior que eu já tinha visto, mais ou menos do tamanho de um campo profissional de futebol! As baias dos cavalos não ficavam para trás, e tinham o tamanho de grandes salas de jantar com portas enormes de madeira maciça trabalhadas com ricos detalhes. O incrível, porém, era o fato de que naquele acampamento esses cômodos do tamanho de salas de jantar, antes utilizados para abrigar cavalos, realmente se transformaram em salas após a ocupação. Só que salas de aula!

Todo o complexo que antes existia para abrigar cavalos de raça foi transformado numa escola. Não há como negar o simbolismo nisso. Uma área utilizada para prender animais e ostentar riqueza transformada numa área de libertação e democratização do conhecimento. Era ao mesmo tempo forte e lindo. No dia em que visitei esta escola choveu muito. Mas, mesmo com a chuva, aquelas crianças podiam brincar, estudar e lanchar, por conta da estrutura construída para proteger os cavalos que ficavam ali. Algo que a maioria das outras escolas que visitei em acampamentos não podia oferecer. Uma pergunta não saía da minha cabeça enquanto eu via aquelas cenas: "Que tipo de sociedade é capaz de construir estruturas como essa para cavalos de lazer e não as consegue construir para suas crianças? Que prioridades são essas? Que mundo é esse?"

Naquela escola, porém, pude ver que nem tudo era bonito como parecia. Encantado pela alegoria que tinha diante dos

A dor e a esperança das crianças carentes | **107**

olhos, um estábulo de luxo transformado em local de ensino, convidei uma das professoras para gravar uma entrevista. Queria registrar aquilo que testemunhava em vídeo, para que outros pudessem ver também. Ela aceitou e começamos a conversar.

Num dado momento da entrevista perguntei sobre quais eram as principais dificuldades que professores, alunos e alunas passavam na escola. Ela começou uma longa lista. Atraso dos salários por conta do governo, dificuldade para o transporte de alunos e alunas que moravam longe, falta de verbas e equipamentos para atividades de pesquisa e extracurriculares, entre várias outras reclamações. Quando chegou o momento de falar sobre as reclamações dos alunos, ela parou e não conseguiu ir adiante. Os olhos começaram a lacrimejar. Eu podia vê-la tentando engolir o choro que a consumia por dentro, de maneira avassaladora.

"Calma, não temos pressa, respire. Se não estiver à vontade, podemos parar a entrevista por aqui", falei.

Ela fez um gesto com a mão e sacudiu a cabeça, dizendo que queria continuar, pedindo que eu esperasse um pouco. Após se recompor, ela continuou.

"Eduardo, você não sabe o esforço que estas crianças fazem para estar aqui todos os dias. Desde o lanche que trazem até o material escolar que precisam comprar, tudo é uma enorme dificuldade. Suas famílias renunciam a muitas coisas para vê-las estudar. Você sabe que nenhum deles tem água quente em casa, não é?"

Assenti com a cabeça. Eu sabia que, por conta da precariedade das instalações elétricas dos acampamentos, ninguém podia ter chuveiro elétrico em casa, devido ao alto consumo de energia deste equipamento.

108 | Travessia

"Pois é. Mesmo assim as crianças chegam todos os dias de banho tomado e arrumadas para assistir às aulas, demonstrando ter uma disciplina e um comprometimento exemplares. Só que aqui pode fazer muito frio, Eduardo. Alguns dias do ano a temperatura chega perto de zero grau. Um dia, conversando com uma das mães, ela me disse que sonhava em um dia poder ter um chuveiro elétrico em casa. Que o filho tomava banho chorando muito e pulando debaixo do chuveiro para aguentar o frio que sentia antes de ir para a escola. Que era como uma tortura. E que isso acontecia todos os dias quando fazia muito frio."

As lágrimas novamente rolavam de seus olhos.

"Eu tenho filhos, Eduardo. Até aquele dia eu nunca tinha dado muito valor ao banho quente que meus filhos podem tomar. Parecia-me algo totalmente normal. Eu aprendi aqui a dar valor a muita coisa a que nunca tinha dado. Acho que aprendi muito mais com essas crianças do que pude ensinar a elas."

Faço minhas as palavras da professora. Aprendi muito mais em todas essas viagens do que pude ensinar. Principalmente com as crianças.

8.
FINAPOP

Era um dia ensolarado e quente e estávamos eu e uma moradora de um acampamento do MST visitando a sua plantação de mandioca. Os que não conhecem um acampamento e têm em mente somente as imagens dos barracos de lona onde moram os camponeses ficariam surpresos ao ver a beleza das plantações que existem nestes lugares. Honrando o lema do movimento, "Ocupar, resistir e produzir", a terra ocupada recebe desde o primeiro dia um cuidado todo especial por parte dos pequenos agricultores.

Com um trabalho extenuante, que normalmente começa antes de o sol nascer e vai até o anoitecer, as famílias cuidam sozinhas de áreas grandes, sendo capazes de produzir o suficiente para seu consumo próprio, complementar o consumo dos que moram no acampamento e ainda vender o excedente para poder pagar suas despesas.

A plantação que eu estava conhecendo naquele dia não era diferente. Era enorme, linda e totalmente organizada em leiras que iam até onde a vista alcançava. Enquanto andávamos por

110 | Travessia

entre os longos canteiros da plantação e conversávamos, ela, encabulada, me fez um pedido:

"Eduardo, eu sempre acompanho seus vídeos na internet, leio seus livros... Posso te pedir uma coisa?"

"Claro", disse-lhe com um sorriso.

"Eu queria uma foto com você", falou.

"Só se for com essa plantação linda como cenário de fundo para eu mostrar a todo mundo como a produção dos acampamentos do MST é incrível!", respondi, aproveitando para elogiar o maravilhoso trabalho que ela e a família faziam naquele pedaço de terra.

A mulher tirou então do bolso um celular e começou, meio atrapalhada pelo nervosismo, a procurar o botão do aplicativo da câmera. Para deixá-la à vontade, fiz uma brincadeira enquanto ela preparava o celular:

"Esses telefones chiques são assim mesmo, têm tanta coisa que a gente nunca acha o que está procurando."

Ela assentiu com a cabeça e falou:

"É verdade. Quando é novo, ainda fica mais difícil! Esse aqui é novinho, usei poucas vezes. Comprei dividido em doze vezes no banco para conseguir pagar, essas coisas são muito caras."

Eu ouvi aquilo e pensei que ali estava uma boa oportunidade para lhe ensinar, de maneira prática, um importante conceito sobre finanças pessoais, algo que sempre procuro fazer nessas viagens às comunidades.

"Eu imagino como deve ter sido caro, porque bonito ele é! Agora, deixa eu te falar uma coisa. Você sabe que, com esses juros que eles cobram, você vai pagar muito mais caro pelo telefone, não é?"

"Sei, sim, seu Eduardo, esses juros são um absurdo", ela me respondeu:

"Pois então, você está vendo aquele pé de mandioca ali?", perguntei, apontando para um dos pés da plantação.

"Estou, sim."

"Dali até lá no final, toda essa parte da sua plantação, você não está produzindo para você. Tudo isso aqui vai ficar para o dono do banco que está te cobrando esses juros. Toda essa parcela do seu trabalho, de sol a sol, não vai te render nada. E ele vai ficar com essas mandiocas todas sem derramar uma gota de suor, só por te emprestar esse dinheiro cobrando esses juros abusivos."

Ela me olhou assustada. Acho que nunca tinha pensado daquela maneira, em termos práticos e reais, sobre o custo de um empréstimo.

A verdade é que a maior parte das comunidades onde vivem as pessoas mais pobres de nosso país são capazes de gerar muita riqueza. Seu maior problema é conseguir ficar com as riquezas que geram. O modelo econômico vigente é todo construído para fazer que ela flua para aqueles que sequer participam do processo. Visitar essas comunidades me convidou a este desafio: encontrar uma maneira de fazer com que a riqueza fique nas mãos de quem é capaz de gerá-la. Se, de alguma maneira, aquela amiga camponesa, em vez de pegar o dinheiro emprestado no banco, pudesse pegá-lo com um vizinho da comunidade, a riqueza teria ficado toda ali, e no longo prazo todos experimentariam um ganho enorme.

A primeira dica sobre como encontrar alternativas para este problema veio num artigo que li falando sobre o conceito de *community wealth building*, um conceito incrível muito em voga no Reino Unido que busca maneiras de fazer que a riqueza gerada em uma comunidade fique na comunidade. Ou, como descrito no site cles.org.uk:

> O modelo econômico tradicional de desenvolvimento [...] tem falhado em enfrentar os desafios econômicos do nosso tempo. A construção de riqueza na comunidade (*community wealth building*) é uma nova abordagem centrada nos indivíduos para o desenvolvimento local, redirecionando a riqueza de volta para as economias locais e colocando o controle e os benefícios nas mãos dos moradores locais.

O site menciona que o conceito tem suas raízes na tradição social-democrata europeia e nas experiências bem-sucedidas da cidade de Cleveland, em Ohio, e das cooperativas de Mondragon, no País Basco.

Era exatamente isso que eu imaginava após visitar aquelas comunidades e ver o quanto da riqueza gerada não se revertia em melhoria de suas condições de vida, principalmente por conta dos enormes custos ligados ao setor financeiro. O conceito de *community wealth building* caía como uma luva! Para manter a riqueza naquelas comunidades, eu precisava encontrar uma maneira de tapar os buracos do barco por onde a riqueza escapava, e a primeira parte do problema eu já tinha identificado: os principais buracos eram os custos financeiros!

Até que um dia, em uma conversa com um amigo que trabalhava no mercado financeiro, fiquei sabendo sobre um banco holandês chamado Triodos. Fundado em 1980 por um grupo de profissionais com fortes valores sociais e que acreditava no poder dos investimentos diretos, o banco desde o início da sua história foi pioneiro em encontrar maneiras de usar o dinheiro de seus clientes de forma a impactar o mundo de modo positivo. Hoje, com filiais em diversos países europeus, o banco tem um inspirador lema estampado na primeira página de seu site: "Finance Change, Change Finance", ou seja, financie a mudança, mude o mundo das finanças.

A pergunta que o banco holandês nos estimula a fazer é talvez aquela com potencial mais revolucionário dentro do modelo capitalista: o que você financia com o seu dinheiro?

Todos nós financiamos algum tipo de mundo com o dinheiro que temos! Seja quando fazemos nossas escolhas sobre o que comprar quando vamos ao mercado ou quando deixamos o dinheiro investido em algum banco. O grande desafio talvez seja mostrar para as pessoas que muitas vezes elas podem estar financiando exatamente o mundo que combatem.

Um vegano pode, sem saber, ter o dinheiro que aplicou em um certificado de depósito bancário (CDB) indo parar, ao ser emprestado pelo banco, numa indústria frigorífica responsável pela morte de milhares de animais. Um pacifista que compra cotas de um fundo de investimento em ações pode estar finan-

114 | Travessia

ciando uma fábrica de armas e munições. Um ambientalista pode ter seu dinheiro alimentando atividades de uma empresa mineradora ou de uma madeireira. E até mesmo um acampado da reforma agrária, como vários dos que conheci nessas viagens pelo interior do país, pode ter seu dinheiro financiando os latifundiários responsáveis pelos ataques que sofrem. Não são raras as situações em que, através do sistema financeiro, financiamos nossos maiores adversários. O sistema, aliás, é estruturado propositalmente neste sentido.

Depois dessa conversa com meu amigo, a ideia não me saía da cabeça: eu certamente financiava meus adversários por um mundo mais justo com o dinheiro que tinha aplicado. Para começar, os próprios bancos, ao pagar as taxas que me cobravam. Mas também aqueles que acabavam sendo o destino do dinheiro que eu tinha aplicado, empresas que certamente não comungavam das mesmas preocupações que eu tinha em relação ao mundo. Como eu poderia resolver esse problema? Não havia uma resposta fácil. O banco Triodos era uma inspiração, mas, em termos práticos, eu tinha poucas possibilidades aqui no Brasil.

Foi quando tive uma outra reunião, desta vez com lideranças do movimento dos trabalhadores sem-terra, que abriu caminho para a solução que eu tanto buscava. Tratamos de vários assuntos. A maior parte deles relativa a desdobramentos de minha última viagem a acampamentos e assentamentos do MST. Tratamos também de como seria minha próxima viagem, discutindo os destinos que fariam sentido em minha busca por aprender a dura realidade vivida nas comunidades do interior do país. Se não me engano, foi inclusive nesta reunião que Dourados foi citado pela primeira vez como um lugar que um dia eu deveria visitar. E o último assunto da reunião, a princípio o menos importante, acabou se transformando em algo com o potencial de mudar a realidade de milhares e milhares de pessoas e de suas comunidades.

"Eduardo, por último gostaríamos de falar com você sobre o Pronaf, o Programa Nacional de Fortalecimento da Agricultura Familiar. Temos, perto de Porto Alegre, um assentamento que é um dos maiores produtores de arroz orgânico do MST. Neste assentamento eles têm também uma agroindústria de suínos. Ao todo, quase 400 mil pessoas da região da grande Porto Alegre consomem alimentos produzidos pela cooperativa desse assentamento. Para aumentar sua produção, eles estavam ampliando suas instalações através de uma linha de financiamento do BNDES. Com a mudança de governo, porém, as linhas foram suspensas e a obra ficou inacabada. Veja só..."

Eles pegaram então uma pasta com fotos das obras do assentamento. A obra estava quase completa, faltavam apenas detalhes finais para sua conclusão e operacionalização. Mas, do jeito que estava, ela de nada valia. O coordenador do MST continuou:

"O valor que falta para concluir a obra é pequeno, cerca de um milhão e meio de reais. Pensamos em pegar um empréstimo para concluir a obra via Pronaf, por conta da taxa menor que é oferecida neste programa. O problema é que os empréstimos do Pronaf também diminuíram muito, e queríamos saber se você ainda guarda contatos dos seus tempos de mercado financeiro que possam nos ajudar a encontrar algum banco que ainda tenha essa linha de financiamento disponível."

Eu ouvi aquilo com atenção, parei, olhei para eles e abri um sorriso. Se fosse uma tirinha ilustrada, um balão com uma lâmpada acesa teria aparecido sobre minha cabeça.

"Esqueçam o Pronaf, nós mesmos vamos fazer esta operação!", falei. "Vamos buscar investidores que queiram dar um destino ético e construtivo a seus investimentos, mesmo com retornos financeiros mais baixos, e uma instituição financeira que tope estruturar um título de dívida para esta operação sem nos cobrar uma fortuna por isso. Vamos transformar esta operação na semente de um movimento para conscientizar as pessoas sobre o impacto que elas podem gerar no mundo ao escolher onde querem investir seus recursos!"

Eles me olharam com um sorriso de volta.

"Investidores que aceitem receber menos? Uma instituição financeira que não cobre uma fortuna? Você está falando sério, acha que isso é possível? Onde vamos encontrar isso?"

"O primeiro investidor vocês já têm, bem aqui na sua frente", respondi.

Eu sabia quão árdua seria a tarefa. Mas tinha certeza de que não era impossível. Afinal, eu ainda tinha alguns poucos (mas bons) relacionamentos no mercado financeiro, e um número grande de pessoas que me seguiam nas redes sociais para ouvir sobre ideias e alternativas para seus investimentos. E o valor que precisava ser levantado naquela operação era, para os padrões do mercado financeiro, pequeno. Dava para fazer!

Minha primeira atitude foi ligar para um amigo, sócio de uma das maiores securitizadoras (empresas que estruturam e emitem títulos de dívidas) do mercado, o João Pacífico. João definitivamente não é um indivíduo típico do mercado financeiro. Desde que o conheci, e já fazia mais de uma década que tínhamos conversado pela primeira vez, ele demonstrara uma preocupação enorme com as questões socioambientais. Tinha em sua empresa programas para contratação de pessoas com deficiência, pessoas com mais de 50 anos de idade, transexuais e várias outras iniciativas raras no mundo das finanças. João também era vegano e manifestava uma grande preocupação com o tema da desigualdade social. Ele, porém, nunca havia estado com alguém do MST. E, fui saber depois, tinha, assim como eu, uma visão preconceituosa do movimento.

Ele, entretanto, aceitou marcar uma reunião para ouvir o que eu tinha a dizer. Convidei quatro dentre os principais dirigentes do MST no país para participar da reunião, e João chamou um de seus sócios e duas diretoras. Acho que jamais vou me esquecer da sensação que tive logo antes de a reunião começar.

Estávamos sentados em uma daquelas grandes mesas, típicas das salas de reunião das empresas do mercado financeiro, um total de nove pessoas. De um lado da mesa, quatro dirigentes do MST, rostos conhecidos dos noticiários, pintados pela grande mídia como terroristas, baderneiros, invasores. Do outro lado da mesa, quatro importantes figuras de uma das maiores securitizadoras do país, pessoas que normalmente carregam a fama de selvagens capitalistas que só pensam no lucro de suas empresas. E eu ali, no meio, tentando ser a ponte, observando o que parecia impossível começar a acontecer. Lembro bem que, antes de a primeira palavra ser dita, me emocionei. Literalmente. Fiquei com os olhos marejados, quase sem acreditar no que via. Simbolicamente, aquilo ali era muito forte. Numa sociedade completamente dividida, desigual, perversa, em guerra, uma ponte começava a surgir.

Fiz as apresentações e passei a palavra a um dos dirigentes do MST, para que pudesse apresentar, antes de qualquer coisa, o movimento para os sócios e para as diretoras da securitizadora. E assim ele fez. Quem já teve a oportunidade de ouvir um dirigente do MST apresentar o movimento jamais terá a mesma visão deturpada sobre suas atividades e objetivos. Isso porque é possível ver a força da verdade por trás das palavras. É possível ver vida, ânimo, viço no discurso. E isso contagia muito.

Antes de chegar a sua vez de falar, eu já percebia que João era outra pessoa. Pelo menos no que dizia respeito à sua visão sobre o movimento. A fala dos companheiros do MST tinha acertado em cheio seu coração e sua mente. O clima na sala era leve, e podíamos sentir claramente a vontade de construir um mundo melhor. Era o que nos unia ali.

João então falou e apresentou sua empresa. Desta vez foi nos rostos dos companheiros do MST que pude notar contentamento. Um contentamento com desconfiança, é verdade, afinal estavam diante de representantes do símbolo máximo das maldades do capitalismo, os "banqueiros", mas claramente dispostos a dar a eles o benefício da dúvida, o que já era um enorme avanço.

Chegou então a minha vez de falar e descrevi o que estava pensando sobre a operação para financiar a cooperativa. Minha ideia era que a Gaia estruturasse a emissão de um título de dívida que investidores pudessem comprar para financiar a conclusão da agroindústria desta cooperativa próxima a Porto Alegre. E que fizesse isso pelo menor preço possível, para não tornar a operação inviável para os tomadores do dinheiro; afinal, como se tratava de uma operação com valor pequeno, qualquer custo fixo alto representaria um acréscimo relevante na taxa final.

João disse que adorava a ideia, mas que existiam limites operacionais e legais para executá-la. Se quiséssemos fazer uma operação, como eu imaginava inicialmente, disponível para os pequenos investidores, precisaríamos cumprir as regras de determinadas instruções da Comissão de Valores Mobiliários (CVM), que exigiriam a contratação de muitos serviços para a execução de muitas tarefas, como por exemplo preparar um prospecto e um memorando de oferta, documentos com centenas de páginas que levam meses para serem produzidos. Tínhamos, porém, a opção de fazer uma *oferta restrita*, tipo de operação disponível apenas para os chamados *investidores qualificados*, pessoas com investimentos superiores a 1 milhão de reais, o que dispensaria a elaboração de vários documentos, barateando a operação e provavelmente viabilizando-a.

Eu imediatamente gostei da ideia de fazer a operação para investidores qualificados. Por vários motivos. O primeiro deles, o fato de a cooperativa ter pressa para concluir as obras, que já tinham consumido um valor alto e gerado a necessidade de transformar os investimentos feitos em receita para quitar a dívida que fora contraída. Fazendo a operação daquela maneira poderíamos rapidamente, em questão de poucos meses, tirá-la do papel. O segundo motivo era porque aquela era uma iniciativa pioneira, nova, o que sempre implica riscos, e eu achava importante que apenas investidores já acostumados a avaliar riscos participassem dela. Por fim, porque o principal objetivo era lançar uma ideia, um conceito, e isto poderia ser alcançado mesmo com poucos investidores, desde que a operação fosse concluída com sucesso. Bastava dar a devida repercussão ao fato. Estaríamos iniciando um movimento voltado a questionar a lógica corrente do mercado financeiro, um movimento que convidava as pessoas a se perguntarem que mundo financiavam com seu dinheiro. Faltava um nome!

"FinPop", sugeriu um dos presentes na reunião que fizemos para escolher a marca que daria visibilidade ao movimento. De imediato todos gostaram. Trazia ao mesmo tempo o conceito de *financiamento popular* de atividades econômicas e ainda fazia uma provocação ao lema do agronegócio que dizia que "O agro é pop", colocando-se assim como alternativa àquela visão. Fizemos uma pesquisa, e infelizmente o domínio finpop.com.br já estava tomado. Frustração geral. "Finapop!", gritou outro! "Por que não?", pensamos. O domínio estava disponível. Surgiu então o Finapop, movimento impulsionador do financiamento popular da agricultura familiar!

Marcamos então uma *live* para anunciar a novidade. Antes mesmo da *live*, a captação dos recursos já estava feita, nove investidores qualificados levantaram o 1,5 milhão de reais necessários. Eu era um deles, investindo 600 mil reais. O desafio era fazer com que todos soubessem da operação, e inaugurar publicamente o conceito.

A *live* foi um estrondoso sucesso. Milhares de pessoas assistiram ao vivo ao encontro, e a grande maioria se interessou em poder também investir. No site, finapop.com.br, deixamos um formulário de cadastro para que as pessoas pudessem colocar seus dados e receber informações quando uma próxima operação fosse realizada. O número de cadastrados não parava de aumentar. Centenas de pessoas enquanto a *live* acontecia. Até o final do dia, mais de mil. Em uma semana, milhares.

A primeira fase do plano estava concluída com sucesso! A semente estava plantada. O Finapop era uma realidade. Claro que as coisas não foram tão simples assim. Tive de explicar que eu não tinha aberto um banco, que o Finapop'não era um fundo de investimentos, que o MST não tinha emitido ações na bolsa, e corrigir muitas outras informações incorretas que eram veiculadas pela imprensa, às vezes até pela especializada. Era difícil as pessoas entenderem que se tratava simplesmente de um movimento, que eu era simplesmente um investidor e entusiasta desse movimento, e que aquilo não era um negócio meu. Pouco a pouco as pessoas foram entendendo.

Faltava agora o segundo e mais importante passo: fazer uma operação que estivesse disponível também para os pequenos investidores, para que todos pudessem participar e para que aquela companheira que conheci que plantava mandioca pudesse um dia pegar emprestado o dinheiro do vizinho em vez do dinheiro do banco, utilizando para isso um instrumento do mercado financeiro capaz de dar escala a este tipo de atividade, deixando a riqueza produzida pela comunidade dentro da comunidade e não na avenida Faria Lima. De quebra, mostraríamos para todos que as cooperativas do MST eram totalmente legais e regularizadas, do contrário não receberiam dos órgãos reguladores a autorização para fazer esse tipo de emissão, e isto poderia ter um impacto importante na imagem de um movimento que sofre tanto preconceito da sociedade. Foi o que decidimos fazer, uma emissão seguindo a instrução CVM400, voltada também para os pequenos investidores. No dia seguinte ao sucesso da divulgação da operação de 1,5 milhão de reais, começamos a construir a próxima.

Sabíamos que não seria uma tarefa fácil. Precisaríamos selecionar cooperativas que estivessem suficientemente organizadas para produzir todos os documentos que seriam exigidos. A operação estaria disponível aos pequenos investidores, logo seria ideal termos uma estrutura de garantias ainda mais forte do que a da primeira operação, a fim de atenuar ao máximo o risco de crédito. Tínhamos também o desafio de manter aceso durante um longo período, provavelmente mais de um ano, o interesse dos investidores que haviam se cadastrado no Finapop após a primeira operação. Quem falou que tornar o mundo um lugar mais justo é uma tarefa fácil?

Uma das primeiras decisões que tomamos foi colocar um grupo formado por integrantes do MST na coordenação do Finapop. Se a ideia era transformar a iniciativa em algo grande, precisávamos de foco total nela, e minha agenda não permitia essa dedicação integral. Combinamos que eu seguiria sendo a cara do Finapop e um divulgador do movimento através de minhas redes, mas as atividades em si, como a busca por cooperativas que se encaixassem no projeto, a interlocução com a securitizadora (responsável pela estruturação da operação) e com a corretora (responsável pela distribuição para os investidores), ficariam com este grupo coordenador.

Foi um trabalho hercúleo que durou mais de um ano. As pessoas não têm ideia da quantidade de informações que precisa ser reunida e produzida para se fazer uma operação como esta. Estamos falando de milhares de páginas com informações contábeis, demonstrações financeiras, certificados e muitos outros detalhes que mesmo após duas décadas de mercado financeiro não me são totalmente familiares. Não fosse a enorme dedicação por parte da securitizadora Gaia, do grupo de advogados que aceitou participar do projeto recebendo um valor simbólico e das cooperativas, para quem tudo isso era absolutamente novo, a estruturação teria sido impossível. E, catorze meses após a primeira operação, as cooperativas, a securitizadora e a corretora finalmente estavam prontas para anunciar ao mercado a nova emissão.

Era uma emissão de 17,5 milhões de reais. Um enorme salto em relação ao volume da primeira operação. Para fortalecer a estrutura de garantias aos pequenos investidores, além de ativos das cooperativas, a nova operação contaria com uma estrutura de subordinação robusta. Isso significa ter uma parcela do investimento, chamada de subordinada, a ser comprada por investidores que aceitam ficar com as primeiras perdas da operação no caso de inadimplência. A subordinação era de 17%, ou seja, até uma inadimplência de 17% dos devedores o pequeno investidor não seria afetado. Como referência, a inadimplência verificada no Pronaf, crédito voltado exatamente para este tipo de investidores, após vinte anos de existência do programa, é inferior a 1% do valor emprestado (dados do site da Asbraer). A operação montada era extremamente segura.

O desafio, porém, era fazer todas estas informações chegarem até os investidores respeitando todas as restrições impostas pela CVM para este tipo de oferta, principalmente no que diz respeito ao "marketing" que é permitido utilizar na venda do investimento. Foi definido pelos participantes da oferta em conversas com a CVM que a venda só poderia ser feita através de um encontro realizado pela internet, restrito a pessoas previamente inscritas, com conteúdo previamente aprovado pela comissão e sem a possibilidade de replay para quem não pudesse assistir ao encontro ao vivo. Condições que tornavam a tarefa ainda mais difícil.

Tentem imaginar o processo como um funil. De um número de pessoas que fica sabendo da operação, apenas uma parte se interessa em se inscrever para participar do encontro. Desta parte, apenas uma parcela assiste ao encontro. Desta parcela, apenas alguns se interessam pelo que é oferecido e um pedaço ainda menor efetivamente realiza o investimento. Para fazer com que este grupo final investisse um total de 17,5 milhões, era preciso começar com um número enorme de pessoas na boca do funil. E foi o que conseguimos fazer!

Não faltou interesse da mídia, afinal era uma operação que envolvia o MST e o mercado de capitais disponível até para pequenos investidores, algo para muitos inusitado. Foram dezenas de matérias sobre o assunto, quase todas trazendo incorreções. Desde dizer que o MST estava emitindo ações até falar que o financiamento era para o MST, quando na verdade era para a produção agrícola de cooperativas que fazem parte do movimento, algo totalmente diferente. Existiram também as que me colocavam como o "dono" do inexistente "banco Finapop". Mas o barulho era, em tese, bom, afinal faria a operação chegar a centenas de milhares de pessoas.

O dia da *live* restrita aos interessados chegou e conseguimos a façanha de colocar milhares de pessoas participando, algo que nem os grandes bancos conseguem fazer com suas maiores operações. Tudo correu maravilhosamente bem, e o período de reservas foi aberto.

As aberturas de conta na corretora começaram a acontecer às centenas! No segundo dia, boa parte da operação já estava preenchida pelas ordens de reserva dos investidores. O provável sucesso da operação era um dos assuntos mais comentados pela mídia especializada no mercado financeiro. E isso começou a incomodar muita gente. Até que uma notícia atingiu a operação como uma bomba atômica: a CVM havia suspendido a operação por conta de irregularidades. As reservas não podiam mais ser feitas até que fossem resolvidos os problemas apontados pela Comissão de Valores Mobiliários. O principal deles, o fato de o prospecto da oferta não informar que as cooperativas faziam parte do MST.

É difícil saber o que motivou a CVM a suspender a oferta. É possível que possa ter recebido denúncias, reclamações e até pressão de grupos inconformados com a operação, e tenha agido em função disso. Até para se certificar totalmente de que não havia nada irregular. Esta parte jurídica não é minha especialidade, mas jamais entendi a necessidade de constar no documento que as cooperativas faziam parte do MST. Isto porque o MST não é uma empresa, não tem CNPJ, é simplesmente uma ideia, um movimento. Seria como exigir que numa oferta os captadores de recursos dissessem que eram cristãos, veganos ou socialistas. E o dinheiro era para as cooperativas, empresas legais e constituídas, destinado à sua produção de alimentos e não ao MST, como já expliquei. Em vez de discutir, a securitizadora decidiu atender imediatamente à demanda da CVM a fim de resolver o quanto antes a situação.

A resposta da CVM demorou mais de dez dias para vir, o prazo padrão, mas suficiente para que a operação esfriasse bastante. O aparente objetivo dos grupos contrários à operação fora alcançado. Tudo parecia perdido, morreríamos ao lado da praia, após nadarmos exaustivamente por mais de catorze meses.

Finalmente a suspensão da CVM foi retirada e as reservas por parte dos investidores voltaram a poder ser feitas. Não sabíamos o que esperar com a retomada dos negócios, era muito possível (talvez até provável) que não conseguíssemos. Até que as ordens dos investidores começaram a aparecer novamente. A mídia, percebendo isso, voltou a se interessar e pautar o assunto. O brilho nos olhos de todos os envolvidos na captação havia voltado, e com ele voltou também a certeza de que conseguiríamos. Numa conclusão que deixaria com inveja os melhores roteiristas de ficção de Holywood, uma hora e trinta e quatro minutos antes do final do período de reserva da operação, o valor foi alcançado! A operação aconteceu! Vitória do Finapop, vitória dos camponeses, vitória da ousadia, vitória da esperança em um mundo melhor. Derrota das estruturas opressoras seculares lideradas, nos tempos atuais, pelo tal "mercado". No posfácio ao final deste livro fiz questão de trazer o texto escrito pelo CEO da Gaia, João Paulo Pacifico, contando esta história sob o seu ponto de vista. Não deixem de ler.

Viva a revolução!

CONCLUSÃO

Viajar pelo interior do país, morando em comunidades que sofrem os perversos efeitos da desigualdade, tem me ensinado muita coisa. Muito mais do que anos de faculdade ou décadas de atividade profissional foram capazes. Ensinamentos que colocaram em xeque muito do que eu antes tinha como dogmas e certezas. Uma destas lições, porém, talvez tenha sido a mais importante. Aprendi que a principal força que age em nossa sociedade é a covardia.

Somos, em síntese, uma sociedade covarde. Não há outra maneira de manter em relativo equilíbrio uma situação como a que vivemos, onde os fortes ficam por baixo e os fracos por cima.

Nunca vi tanta força como nas comunidades onde estive. Pessoas que desde a idade mais tenra trabalham de sol a sol, sobrevivem a ataques diários de toda natureza, estão sempre fora da zona de conforto e têm que lidar com perdas dolorosíssimas ao longo do caminho, precisando sempre seguir caminhando. Pessoas capazes de gerar uma quantidade incalculável de riqueza todos os dias e que veem toda essa riqueza saqueada pelas injustiças do sistema, tendo sempre de recomeçar do zero suas jornadas.

130 | Travessia

Do outro lado, pessoas que têm tudo, menos o mérito de terem acumulado suas fortunas. O único "mérito" que carregam é o de serem filhos, netos ou amigos de outros que já acumulavam fortunas. Profissionais absolutamente medíocres que têm dezenas, centenas, ou até milhares de milhões de reais, e que defendem suas injustas posições na pirâmide econômica e social, repetindo teses e dogmas que um dia ouviram, mas que em nada são sustentados pela realidade. Pessoas que não aguentariam viver uma semana levando a vida dos que estão na base da pirâmide. Não teriam nem a força nem o talento.

Somos, segundo a OCDE, o país vice-campeão mundial em falta de mobilidade social, perdendo apenas para a Colômbia. No Brasil, são necessárias nove gerações, ou 225 anos, até que alguém que nasça entre os 10% mais pobres tenha um descendente que chegue à renda média do país — um país onde, para usar as palavras do amigo Frei Betto, o importante é ter sorte na loteria biológica ao nascer.

E aí, para manter esta estrutura invertida e injusta de pé, o jogo tem que ser covarde. Uma covardia institucionalizada presente em todas as estruturas de poder. As leis são feitas pelos que estão por cima para benefício próprio. O uso da força é comandado pelos que estão por cima para defender o patrimônio indevido que acumularam. As notícias são contadas pelas empresas de mídia pertencentes também aos que estão por cima, distorcendo a realidade até o limite do possível. Tudo parte do jogo.

Meu empenho, após as temporadas vivendo em comunidades pobres, é pelo fim dessa covardia. Pelo fim de um modelo de sociedade que tem como base fundadora séculos de trabalho escravo, forçado, que legou a indivíduos medíocres uma enorme riqueza produzida com o esforço e o talento de milhões de mãos calejadas que ficaram vazias. Uma luta para manter a riqueza com quem a produz, para exigir que todos deem uma contribuição verdadeira para a sociedade onde vivem e para que não sigam se alimentando da dor e do sofrimento daqueles que hipocritamente chamam de irmãos e irmãs.

Como disse em um debate para o qual fui chamado certa vez, com uma das maiores autoridades tributárias do país: meu objetivo é tornar minha vida mais difícil. Ser rico no Brasil é nadar de braçada, ajustar as velas e deixar o vento levar, sem esforço algum. Luto por um país onde o grupo econômico do qual faço parte pague mais impostos e se aproxime do que a maioria dos países com qualidade de vida digna cobra de seus indivíduos ricos. Um país onde todos sejam julgados justamente, por tribunais com negros e brancos, homens e mulheres. Um país onde nenhuma criança tenha de pedir para poder estudar, nem para não ser despejada de casa. Um país onde os mais velhos sejam lembrados e não esquecidos ou maltratados.

Provavelmente não verei o dia em que tudo isto acontecerá. Mas isso não quer dizer que não vencerei. Um dos maiores intelectuais que este país já teve, Darcy Ribeiro, certa vez escreveu:

Fracassei em tudo o que tentei na vida.
Tentei alfabetizar as crianças brasileiras, não consegui.
Tentei salvar os índios, não consegui.
Tentei fazer uma universidade séria e fracassei.
Tentei fazer o Brasil desenvolver-se autonomamente e fracassei
Mas os fracassos são minhas vitórias.
Eu detestaria estar no lugar de quem me venceu.

132 | Travessia

Eu pediria licença a Darcy para dizer que ele não perdeu. Ele simplesmente não viveu o suficiente para ver sua vitória. Quando eu era mais novo, competia a prova de revezamento de 4 × 100 metros rasos na equipe de atletismo da universidade. Quando ganhávamos uma prova, a medalha não era somente do corredor que fechava o revezamento. Era de todos que haviam corrido e passado o bastão.

O dia em que vencermos e vivermos num mundo mais justo, onde brancos e negros, jovens e velhos, homens e mulheres, rios e oceanos, florestas e animais vivam em paz, terá sido uma vitória de todos aqueles que carregaram e passaram o bastão. Uma vitória de Cristo, de Buda, de São Francisco de Assis, de Gandhi, de Martin Luther King, de Marielle Franco, de irmã Dulce, de Dom Helder, de Leonel Brizola, de Darcy Ribeiro, de Chico Mendes, de irmã Dorothy, de Noam Chomsky, de Leonardo Boff, de Frei Betto, de madre Teresa, de Eduardo Suplicy, de Chico Xavier, de frei David, de Malala Yousafzai, de Greta Thunberg, de Angela Davis e de tantos outros e outras que dedicaram suas vidas a essa luta.

Somos somente um sopro, nada a mais do que isto. Aliás é isto, sopro, o significado da palavra *espírito*. Pneuma! Que possamos ver na dor do outro a nossa dor, e no alívio do seu sofrimento a nossa salvação.

Que assim seja.

POSFÁCIO
CHOREI POR CAUSA DO MST

João Paulo Pacifico
CEO do Grupo Gaia

Depois de vários meses, nessa semana [19 set. 2021] acabou meu período de silêncio... Calma, não é uma promessa ou um silêncio absoluto (até porque fico falando quase o dia todo), mas, quando estamos fazendo operações financeiras, o órgão regulador (no caso a CVM) não nos permite falar sobre o assunto.

Provavelmente você leu ou ouviu alguém falar sobre uma operação revolucionária do mercado financeiro com cooperativas ligadas ao MST, o Movimento dos Trabalhadores Rurais Sem Terra.

Muitas pessoas questionaram: por que a Gaia resolveu trabalhar com o "polêmico" Movimento? Findo o período de silêncio, agora eu posso falar. Vem comigo!

COMO CONHECI O MST

Sempre ouvi na mídia que o MST era um grupo de terroristas que roubava e não trabalhava, até que um dia o meu amigo Eduardo Moreira resolveu viver por algumas semanas em acampamentos e assentamentos ligados aos sem-terra.

Quando nos encontramos, ele pegou o seu celular e me mostrou a foto de uma agroindústria bem bonita e arrumada.

"Sabe onde é isso, João?", ele perguntou.

Eu não fazia ideia.

"Num assentamento do MST", ele disse, me trazendo uma sensação de surpresa absoluta! Nos minutos que se seguiram, ele contou superempolgado as vivências e aprendizados que teve nas semanas anteriores.

Passada a primeira quebra de paradigma, e com várias interrogações em minha mente, marcamos uma reunião no Grupo Gaia com os principais líderes do Movimento.

O DIA EM QUE O MST FOI À FARIA LIMA

Antes de começar a reunião, Dudu se emocionou ao ver juntos, em uma mesma mesa na Faria Lima, líderes sociais e pessoas do mercado financeiro. Estávamos eu e meu sócio Fabio Gordilho, uma das pontes mais improváveis que alguém poderia imaginar.

Nessa reunião ativei o modo curiosidade (aquele olhar infantil de quem está descobrindo o mundo) e deixei todos os preconceitos de lado. Ouvi, perguntei e me encantei...

João Pedro me disse uma frase que me marcou: "Pegamos o mundo emprestado dos nossos filhos e netos e devemos devolvê-lo melhor para eles" (frase original é de Wendell Barry).

Mas falar é fácil... Qualquer um pode contar histórias bonitas. Nas semanas seguintes, nos aprofundamos, fizemos mais algumas reuniões até que eu e o Dudu fomos visitar a Coopan, cooperativa ligada ao MST que fica perto de Porto Alegre.

Posfácio **135**

VOCÊ SABE COMO É UM ASSENTAMENTO?

Chegando ao assentamento fomos muito bem recebidos com um almoço delicioso. Vi crianças brincando, pessoas trabalhando, um lugar lindo... Ao entrar na indústria de arroz, percebi que eram ensacados produtos de marcas que compramos em São Paulo, e que eu não fazia ideia que eram produzidas por elas.

Entramos dentro de um silo de arroz e parecíamos o Tio Patinhas. Descobri que as cooperativas do MST são as maiores produtoras de arroz orgânico da América Latina (sim, até você que tinha preconceito deve ter se alimentado graças a elas).

Aquele lugar, com uma vila de casas bem-arrumadas, foi totalmente construído com o suor de centenas de famílias que plantaram o arroz. Se não estivessem lá, provavelmente essas famílias estariam vivendo nas ruas das grandes cidades, sem emprego, sem perspectivas. Mas elas tinham a oportunidade de plantar o que a gente come (e sem agrotóxicos).

Mas eles roubam? Não!, à frente, contarei sobre a questão jurídica. Seguimos com a história...

Voltei pra Gaia com uma certeza: iríamos contribuir com aquele projeto, mas e o preconceito? E será que a cooperativa teria condições de cumprir as rígidas exigências do mercado financeiro?

QUEBRANDO TABUS...

Enfrentei muita resistência, dentro e fora da Gaia, mas conseguimos fazer uma primeira operação pequena. Captamos R$ 1,5 milhão para aquela cooperativa. Foi um sucesso! A notícia se espalhou, críticas vieram, mas um inesperado apoio popular começou a surgir. E o Dudu Moreira idealizou um movimento chamado Finapop para fomentar recursos para a agricultura familiar.

Mesmo com as ameaças de gente mandando recado dizendo que não iria mais trabalhar com a Gaia, decidimos dar um enorme passo.

Dizem que coragem não é sobre a ausência de medo, é sobre agir apesar do medo.

O mercado financeiro é elitista! Foi feito para ricos investirem melhor, para ricos receberem os recursos. O sistema é assim!

Então, resolvemos fazer uma operação em que pessoas pudessem investir a partir de R$ 100 (isso mesmo, cem reais) na agricultura familiar, que produz alimentos orgânicos, agroecológicos.

Para fazer isso, a burocracia é desafiadora. As grandes empresas que captam recursos no mercado financeiro têm enormes departamentos financeiros, jurídicos, mas estávamos falando de cooperativas de agricultores familiares, assentados da reforma agrária.

Alguns escritórios de advocacia recusaram trabalhar na operação. Eu pedi que eles se dispusessem a ouvir, a entender o que era o MST, mas não quiseram. Não os condeno, são reféns do sistema.

Até que falei com um dos mais renomados escritórios do país, que nunca tínhamos contratado, o Veirano Advogados. E eles aceitaram!

Montamos um grupo de trabalho e por cerca de um ano mergulhamos no mundo das cooperativas. O trabalho foi imenso, com reuniões semanais. Até que tudo estava pronto para lançarmos o produto financeiro (chamado de CRA).

Posfácio | **137**

Nessa operação, não tínhamos um banco ao nosso lado, muito menos assessores de investimentos para falar com os investidores, não gastamos um centavo para fazer marketing.

Nossa grande aposta era uma live cheia de restrições (link fechado, sem gravação). Só poderíamos enviar o link para as pessoas que se cadastrassem, nossa sorte era que o Finapop tinha despertado o desejo de milhares de pessoas.

"CANCELARAM A LIVE." COMO ASSIM!?

Enfim chegou o dia da live. Equipe ansiosa. Depois de um ano de trabalho, essa seria a nossa única oportunidade de falar sobre o investimento. Era oito ou oitenta!

Separei minhas anotações, combinei com os advogados o que deveria falar. Testamos os computadores, decidimos que eu usaria o da Priscila, que tem câmera melhor que o meu, e ela separou os documentos para caso perguntassem algo específico. Ufa!, tudo pronto, até que...

Cerca de uma hora antes da live, recebi o e-mail de um dos participantes solicitando que cancelássemos o evento, dizendo que era contrário à realização (apesar de a CVM ter aprovado).

Ficamos tensos! O que fazer? Cancelar a live significaria o fim do projeto. Não havia outra forma de as pessoas ficarem sabendo.

Refletimos e tomamos a decisão: ignorar o pedido e fazer a live.

Eduardo Moreira (como apresentador), um casal de cooperados e eu ficamos quase duas horas falando para cerca de 2,5 mil pessoas que não deixavam a audiência baixar. Foi um sucesso! Foi emocionante!

Mas por que pediram o cancelamento da live? Bingo se você achou que os ruralistas pressionaram para que a operação não tivesse êxito.

OFERTA SUSPENSA! E AGORA?

O resultado da live foi incrível. Nos dias que se seguiram, houve muitas matérias positivas na mídia nacional e internacional, centenas de investidores fizeram as suas reservas de investimentos, tudo indo maravilhosamente bem, até que veio uma bomba...

É isso mesmo que você vai ler: a CVM suspendeu a oferta.

A operação não tinha nada de errado, mas tinha uma minoria torcendo muito contra! Para não termos problemas jurídicos, prefiro não contar uma dezena de tentativas de boicote que sofremos.

Mas, para azar dos que torceram e agiram contra, a suspensão da oferta trouxe uma enorme mobilização da sociedade civil. A mídia noticiou, influenciadores se posicionaram...

Explicamos para a CVM todos os pontos, Veirano e os advogados das cooperativas foram brilhantes e revertemos a situação.

AGORA É TUDO OU NADA!

Com a liberação, a mídia noticiou a possibilidade de investimentos. A mídia espontânea aumentou ainda mais depois dessa reviravolta. Fizemos uma força tarefa na Gaia para responder às centenas de e-mails que recebíamos.

As mais lindas histórias chegavam até a gente, como algumas senhoras de mais de 80 anos que queriam investir, um padre, além de vários grupos se formaram naturalmente para ensinar às pessoas o que era esse tal de CRA do MST.

Alguns dias depois, com muita emoção, atingimos a incrível marca de 4.794 contas abertas, das quais as primeiras 1.518 pessoas conseguiram investir. Mais de 3 mil interessados ficaram de fora.

E assim o MST plantou suas sementes no mercado financeiro.

Que venham as próximas!

CHOREI

Quando tivemos a confirmação de que o último investidor confirmou o seu pedido, nossa equipe não cabia em si. Veio a sensação máxima de dever cumprido e eu chorei.

Chorei ao me lembrar dos rostos das pessoas que nos receberam com tanto carinho, mas que são diariamente julgadas por uma sociedade que não as conhece.

Chorei ao me lembrar de que aprendi lições de cooperação, amor e respeito.

Chorei ao me lembrar das milhares de pessoas que se engajaram para criar essa revolução no mercado financeiro.

Chorei ao me lembrar de que, com esses recursos, eles produzirão alimentos saudáveis, que vão alimentar milhões de pessoas, desde pessoas em situação de rua a até mesmo você...

Que esse seja o primeiro capítulo dessa improvável transformação.

"Nunca duvide que um pequeno grupo de pessoas conscientes e engajadas possa mudar o mundo. De fato, sempre foi assim que o mundo mudou", disse Margaret Mead.

Gratidão por ter lido. Escrevi esse texto com muito amor e com a intenção de que você lesse sem preconceitos. E se dedique a construir pontes, plantar sementes e ajudar os menos privilegiados.

PS.: Minha gratidão enorme ao núcleo duro de pessoas que sonharam junto e fizeram acontecer. Em especial ao idealizador e querido amigo Eduardo Moreira (e Rafa), aos agricultores familiares (Carla, Luis, Rascunho, JP, Stedile e Bea), ao Veirano (Rafa, Brunão, Joy, Gi, Felipe e Dani) e ao time da Gaia (Jey, Bia, Rodrigão, Bea, Pitty, Sassá, Nat e tantos outros/as), essa turma trabalhou com amor, como uma família. A cada desafio, a gente se fortalecia mais. Garra, orgulho e resistência nos definem. (Listo aqui alguns nomes, mas na certeza de que estou sendo injusto e esqueci muitos, a quem peço que me perdoem.)

Para constar: durante a pandemia o MST doou milhares de toneladas de alimentos.

O MST não é uma entidade jurídica, não tem CNPJ nem conta-corrente, é um movimento social. "Ah, mas ouvi que o MST fez isso, fez aquilo." Seres humanos acertam e erram diariamente. Não estou aqui para julgar, mas para avançar em causas que defendo. Desigualdade social e meio ambiente são duas das três que elegi para me dedicar.

Posfácio | **141**

Como prometido, segue a explicação jurídica: a Constituição Federal do Brasil diz em seu artigo 186 que as terras em território nacional têm uma função social e devem respeitar requisitos como: preservação do meio ambiente, observância das relações de trabalho e aproveitamento adequado do solo.

Ainda segundo a Constituição, a União poderá desapropriar áreas para fins da reforma agrária, exceto nos casos de terras produtivas e de pequenas e médias propriedades rurais.

Os donos das terras que o governo venha a desapropriar são pagos por isso. Portanto, não é roubo, já que há recompensa financeira nessa transação. E basta o proprietário fazer sua terra rural produzir para que não seja objeto da reforma agrária.

Normalmente, o MST vai atrás de áreas que além de improdutivas tenham altas dívidas com a União, para facilitar o processo de conversão em algo que seja bom para todos e para o país.

Os assentados não ganham a terra, não podem vendê-la. Mas sim, viver e plantar...

Esse texto teve a revisão da querida Priscila Navarro (que não gosta de que eu lhe agradeça publicamente (risos). Valeu, Pitty.

Para você que leu até aqui vou contar algo pessoal: o MST me influenciou de tal forma que estou plantando uma pequena agrofloresta com os conceitos agroecológicos.